Directrice : Sarah Koegler-Jacquet
Directeur artistique : Florent Salaün
Responsable éditoriale : Sandra Berthe
Éditeur : Nathalie Marcus, assistée de Clémentine Coudray
Graphiste : Anna Guillet
Fabrication : Anne-Laure Soyez

Maquette et mise en pages : Flgraf, François Lemaire
Suivi éditorial : Aurore Meyer
Relecture : Agnès Scicluna

Auteurs : Aurélie Desfour, Sophie Koechlin, Éric Mathivet, Mathilde Paris, Véronique Schwab, Frédéric Seigneur, Anne Thomas-Belli

Illustrations : Sylvie Bessard, Sally Bornot, Patrick Chenot, Jean-Sébastien Deheeger, Pierre Fouillet, Pascal Gauffre, Gérald Guerlais, Grégoire Mabire, Fabrice Mosca, Judicaël Porte, Laurent Richard, Rémi Saillard.

Crédits photographiques :
Pages 12-13, 40-41, 54-55, 92-93, 98 : © 2009, moses. Verlag GmbH pour les illusions d'optique issues de l'édition originale publiée en Allemagne par moses. Verlag GmbH sous le titre *Die 100 besten optischen Illusionen*, 2009.

www.cestpassorcier.com

Le
super livre
!
C'EST PAS SORCIER

DEUX
COQS D'OR

SOMMAIRE

SOMMAIRE THÉMATIQUE

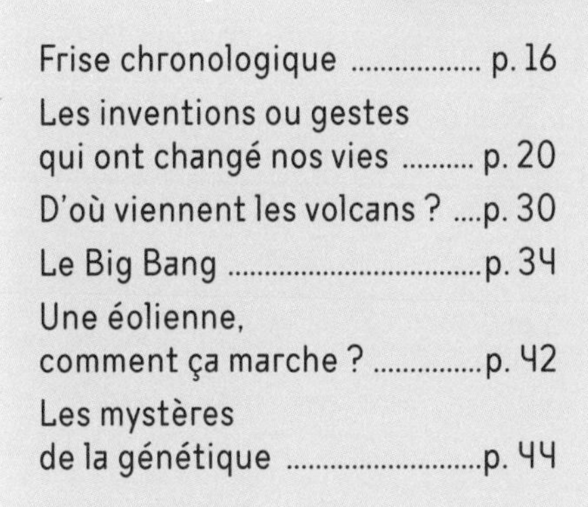

INFOS/DOCS C'EST PAS SORCIER

PASSIONS

EXPÉRIENCES C'EST PAS SORCIER

JEUX ET QUIZ

PERSONNAGES CÉLÈBRES

Ce livre est à l'attention de ceux
qui n'ont pas froid aux yeux !

Tu es passionné par les expériences scientifiques,
les trompe-l'œil, les inventions ?

Le corps humain, l'histoire de France, la planète,
les animaux et la nature sont des sujets
qui t'intéressent au plus haut point ?

Tu passes ta vie à essayer de comprendre
tout sur tout et à savoir comment ça marche ?

Tu adores t'amuser à faire des jeux
et à répondre à des quiz rigolos ?

Tu rêverais d'en connaître un peu plus
sur des personnages emblématiques comme
Christophe Colomb, Marie Curie ou Léonard de Vinci ?

Tu adores avoir la tête dans les étoiles
et tu as envie de tout savoir sur l'Univers,
la vie dans l'espace et la conquête spatiale ?

Tu te sens prêt à te creuser la tête et
à répondre à toutes les devinettes ?

Alors, ce super livre

est fait pour toi !

Plonge vite dans l'univers fascinant
des petites et grandes découvertes !

PASSION MOYEN ÂGE

Pourquoi appelle-t-on le Moyen Âge ainsi ?

Quand on dit « Moyen Âge », le mot « Âge » signifie « période de l'Histoire » : le Moyen Âge, c'est une partie de l'Histoire de la France et d'autres pays d'Europe. On dit que cet âge est « moyen », car ce n'est plus l'âge antique, celui des Gaulois et des Romains, mais ce n'est pas encore non plus l'époque moderne. Il s'agit de l'Histoire du milieu, celle qui se situe entre les deux.

Pourquoi bâtissait-on des châteaux forts ?

Pour se protéger, bien sûr ! Mais aussi pour voir loin. Au début du Moyen Âge, les châteaux étaient en bois, ce qui est moins résistant que la pierre en cas d'attaque, mais on les construisait toujours sur une colline ou un autre lieu élevé. Puis il y eut des forteresses de pierre aux murailles épaisses. Après le Moyen Âge, les canons étaient devenus si puissants que les châteaux forts ne résistaient plus à leurs boulets de fer. Et puis la France était un pays uni, avec une armée qui le défendait contre les attaques d'autres pays : il n'y avait plus de raison que des seigneurs voisins se fassent la guerre.

Comment devenait-on chevalier au Moyen Âge ?

D'abord, il fallait être né dans une famille de seigneurs. Le futur chevalier commençait sa formation à l'âge de 7 ans et apprenait à servir les autres, à monter à cheval et à combattre. Enfin, lors de la cérémonie de l'adoubement, un seigneur lui touchait l'épaule avec son épée et il devenait un vrai chevalier.

Pourquoi et depuis quand la France s'appelle-t-elle... la « France » ?

Le nom de la France vient de celui des Francs, qui conquirent le pays et lui donnèrent ses premiers rois, comme Clovis. Mais, à leur époque, au début du Moyen Âge, on ne parlait pas encore de France : on disait la Gaule ou le royaume franc. Le nom de France a commencé à être utilisé beaucoup plus tard, sous Philippe Auguste. C'est le premier souverain qui se fit appeler « roi de France », en 1204.

Pourquoi dit-on que Charlemagne a inventé l'école ?

Charlemagne régnait sur la France (sauf la Bretagne) et bien au-delà, vers le nord et vers l'est. Il a organisé cet immense empire et fait appliquer ses lois. Comme il lui fallait des personnes instruites pour l'aider à diriger, il a créé une école dans son palais. Puis, il a demandé d'en ouvrir d'autres à travers l'empire. C'est pour cela qu'on dit que Charlemagne a inventé l'école, même si des écoles existaient déjà avant lui.

La guerre de Cent Ans a-t-elle vraiment duré 100 ans ?

En fait, cette guerre entre la France et l'Angleterre a duré plus que 100 ans : de 1337 à 1453, cela fait 116 ans ! Si elle fut si longue, c'est parce qu'elle s'est déroulée « par étapes ». Les Anglais envahissaient seulement des parties de la France, pas le pays tout entier. Après chaque conquête, la guerre n'était toujours pas finie... Et puis, il y eut des périodes de trêve, où l'on ne se battait pas. La plus longue pause a duré 23 ans !

Pourquoi et quand Paris est-elle devenue capitale ?

Dès le début du Moyen Âge, Clovis choisit Paris comme capitale. L'ancienne capitale de la Gaule, Lyon, n'était pas dans son royaume. Paris offrait l'avantage d'être au carrefour de grandes routes fréquentées par les marchands, dans une région de champs cultivés et de riches forêts. La ville perdit ensuite de l'importance, jusqu'au roi Philippe Auguste, né à Paris en 1165, qui lui redonna le rang de capitale. Il faut dire que son royaume était tout petit, juste autour de Paris ! Ce roi sut fort bien l'agrandir et Paris resta capitale.

ILLUSZZIONS D'OPTIQUE

Une illusion d'optique est une image conçue pour « tromper » le cerveau. Ce que perçoivent les yeux doit en effet être interprété par le cerveau, qui se sert de ses connaissances et de son expérience pour rendre l'image compréhensible. Et il peut faire des erreurs !

Couleur imaginaire

1

Si tu laisses flotter ton regard au-dessus du carré ci-contre, tu vois des taches orange à l'intersection des lignes blanches. Pourtant, si tu fixes intensément l'une de ces intersections, TU CONSTATES QUE CES TACHES N'EXISTENT PAS ! Ton cerveau « barbouille » de la couleur comme pour attacher ensemble les 16 petits carrés orange et « fabriquer » artificiellement le grand carré.

2

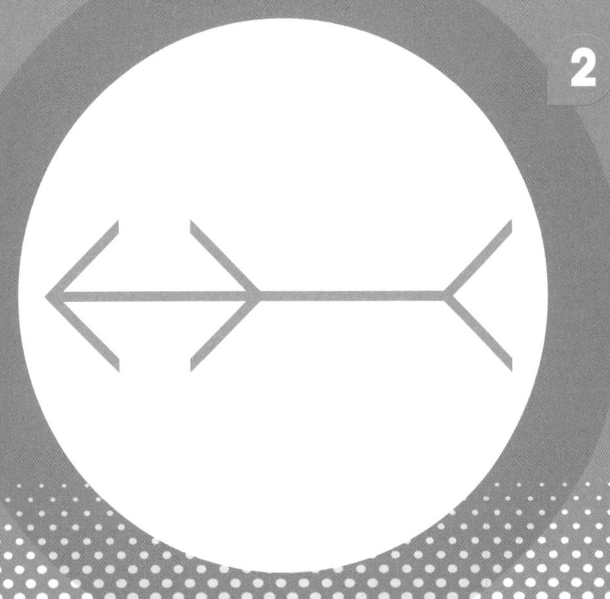

LONGUEURS TROMPEUSES

LES DEUX SEGMENTS SONT DE MÊME LONGUEUR ! Tu peux vérifier à l'aide d'une règle. Pourtant, à cause de la longueur et de la direction des flèches, ton cerveau refuse cette information et voit un long segment en bas et un plus petit en haut.

3

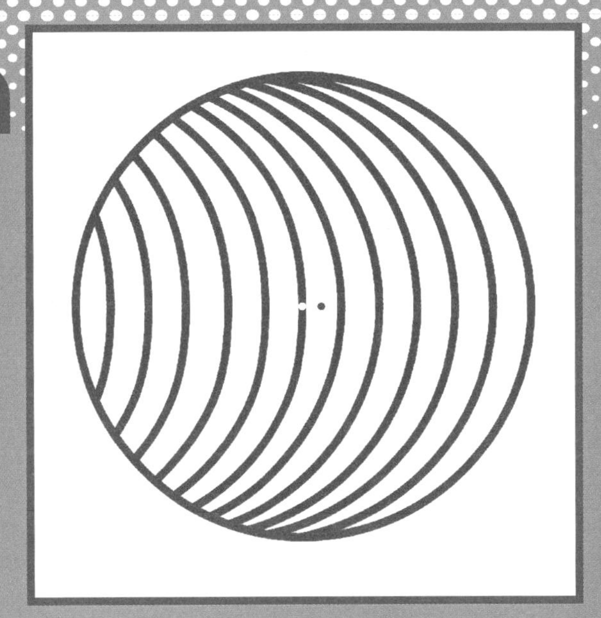

À la recherche du centre

Le point rose semble bien être le centre du cercle. Les arcs de cercle orientés vers la droite trompent ton cerveau qui cherche le centre du cercle plus à droite qu'il n'est en réalité. Tu peux vérifier avec un compas : LE CENTRE EST LE POINT BLANC !

4

UN ÉLÉPHANT, ÇA TROMPE !

COMBIEN DE PATTES A CET ÉLÉPHANT ?
L'astuce du dessin consiste à évoquer les pattes soit par le haut, soit par les pieds. Du coup, les pattes donnent l'impression que l'éléphant est en mouvement.

5

Où est le piège ?

NON, CETTE IMAGE NE CACHE RIEN.
Pourtant, ton cerveau essaye désespérément d'y « voir » quelque chose de caché, un motif, une lettre... Et au bout d'un moment, cet effort donne l'impression que l'image scintille.

CHARADES & DEVINETTES

Es-tu incollable sur le corps humain ?

3.

On me coupe en quatre quand on se complique la vie, et on me blanchit quand on a du souci.

QUI SUIS-JE ?

1. QUEL ANIMAL GAGNE TOUJOURS LA COURSE ?

2.

Mon premier est un parasite qui se promène dans les cheveux.

Mon second est le premier mot de cette phrase.

Mon tout est un organe qui se gonfle et se dégonfle.

4.

On n'en a pas à la naissance, elles arrivent plus tard, puis elles tombent pour revenir…

QU'EST-CE DONC ?

5.

Mon premier est un animal avec des bois.

Mon second est le bébé de la vache.

Mon tout est le chef d'orchestre du corps humain.

6.

Qu'est-ce qui est composé de deux trous, rempli de petits poils et qui se bouche parfois ?

7. TROUVE LE MOT MANQUANT.

Avoir le cœur sur la...
Jeu de..., jeu de vilain.
Se serrer la...

8.

MON PREMIER EST UN MÉTAL PRÉCIEUX.

MON DEUXIÈME RECOUVRE L'OREILLER.

MES TROISIÈMES SE TROUVENT AU-DESSUS DE TON NEZ.

MON TOUT EST UN ENDROIT CHATOUILLEUX !

» SOLUTIONS p. 140

FRISE CHRONOLOGIQUE

PRÉHISTOIRE

Il y a 1 million d'années : premiers humains en France.

Il y a 17 000 ans : peintures de la grotte de Lascaux.

Il y a 6 000 ans : alignements de menhirs de Carnac.

ANTIQUITÉ

- 500 avant J.-C. : installation des Gaulois.

- 390 avant J.-C. : des Gaulois attaquent et pillent Rome.

- 58 avant J.-C. : début de la conquête de la Gaule par Jules César.

- 46 avant J.-C. : mort de Vercingétorix.

MOYEN ÂGE

476 : début du Moyen Âge.

481 : Clovis devient roi des Francs.

800 : couronnement de Charlemagne.

987-1328 : dynastie des Capétiens (à partir d'Hugues Capet).

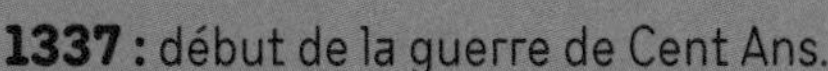

1337 : début de la guerre de Cent Ans.

1431 : mort de Jeanne d'Arc.

1453 : fin de la guerre de Cent Ans.

1483 : mort de Louis XI.

1492 : fin du Moyen Âge.

TEMPS MODERNES

1515-1547 : règne de François Ier.

1539 : le français devient la langue officielle du royaume.

1572 : massacre de la Saint-Barthélemy.

1589-1610 : règne d'Henri IV.

1642 : révoltes de la Fronde.

1643-1715 : règne de Louis XIV.

XVIIIe siècle : siècle des Lumières.

1715-1774 : règne de Louis XV.

1789 : début de la Révolution française.

1792 : proclamation de la République.

1792-1794 : la Terreur.

1793 : exécution de Louis XVI.

1799 : coup d'État de Napoléon Bonaparte.

1804 : couronnement de Napoléon Ier.

1805 : victoire d'Austerlitz.

1812 : campagne de Russie.

1815 : défaite de Waterloo. Napoléon est exilé à Sainte-Hélène.

1830 : les Trois Glorieuses.

1848 : abolition de l'esclavage.

1852 : Napoléon III proclamé empereur.

1871 : défaite contre la Prusse et les États allemands.

1889 : inauguration de la tour Eiffel.

XIXe SIÈCLE

2001 : explosion d'une usine chimique à Toulouse.

2002 : l'euro remplace le franc.

2006 : inauguration du musée sur les Arts premiers du quai Branly à Paris.

2007 : élection de Nicolas Sarkozy à la présidence de la République.

2012 : élection de François Hollande à la présidence de la République.

2015 : attaques terroristes à Paris en janvier et novembre.

2015 : conférence de Paris sur les changements climatiques.

2017 : élection d'Emmanuel Macron à la présidence de la République.

XXIe SIÈCLE

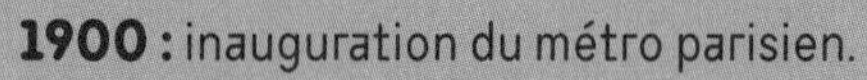

XXe SIÈCLE

1900 : inauguration du métro parisien.

1900-1914 : la Belle Époque.

1914-1918 : Première Guerre mondiale.

1920-1929 : les Années folles.

1936 : début des congés payés.

1939-1945 : Seconde Guerre mondiale.

1940 : début de l'Occupation.

1944 : droit de vote accordé aux femmes.

1944 : Débarquement de Normandie.

1954 : fin de la guerre d'Indochine.

1957 : création de la Communauté économique européenne.

1958 : élection du général de Gaulle à la présidence de la République.

1962 : indépendance de l'Algérie.

1968 : événements de mai 68

1974 : droit de vote à 18 ans.

1981 : élection de François Mitterrand à la présidence de la République.

1981 : abolition de la peine de mort.

1994 : début de l'utilisation d'Internet.

1995 : élection de Jacques Chirac à la présidence de la République.

1998 : Coupe du monde de football en France.

PASSION ROIS ET REINES

Les rois francs étaient-ils très méchants ?

Ils peuvent nous paraître méchants, car ils réglaient les problèmes de façon brutale, en tuant ceux qui s'opposaient à eux ou en envahissant leurs voisins. Mais c'était pour eux une manière de rendre la justice. On raconte qu'en 486 un soldat franc refusa de remettre à son roi, Clovis, un vase précieux pris dans une église après la bataille de Soissons. Le soldat brisa le vase avec sa hache. Un an plus tard, quand Clovis se retrouva face à ce guerrier, il le tua d'un coup de hache en disant : « Ainsi as-tu fait du vase de Soissons ! »

Pourquoi Louis IX fut-il nommé « Saint Louis » ?

Parce que ce roi était très catholique et qu'il défendait la justice, il a été canonisé après sa mort, c'est-à-dire que l'Église en a fait un saint. Louis IX devint roi en 1226, mais, comme il n'avait que 12 ans, sa mère dirigea la France jusqu'à ce qu'il soit assez grand. Durant son règne, il agrandit le royaume et fit des lois pour réduire les injustices. Mais il n'était pas très juste avec les juifs qu'il voulait convertir au catholicisme.

Pourquoi Clovis fut-il le premier roi de France ?

Lorsque Clovis devint roi des Francs, au début des années 480, il régnait sur un petit territoire au nord de la France. Mais le pays ne s'appelait pas ainsi : c'était encore la Gaule. Pourtant, Clovis agrandit beaucoup son royaume, jusqu'à lui faire couvrir une grande partie de la France actuelle. Et il adopta la religion chrétienne, qui allait devenir la plus importante du royaume. C'est pour ces raisons que Clovis est considéré comme le premier roi de France.

Pourquoi Louis XVI fut-il guillotiné ?

Louis XVI était monté sur le trône en 1774. Mais il ne prit pas les bonnes décisions quand la riche noblesse s'opposa aux ministres, ni quand le peuple commença à se révolter. Louis XVI ne put empêcher la Révolution d'éclater en 1789. Puis, en 1791, il tenta de s'enfuir à l'étranger, mais fut rattrapé. Considéré comme un ennemi de la Révolution, il fut emprisonné avec sa famille en 1792, condamné à mort et guillotiné le 21 janvier 1793.

Pourquoi Louis XVI a-t-il épousé Marie-Antoinette ?

Pour renforcer l'alliance entre la France et l'Autriche, car Marie-Antoinette était une princesse autrichienne. Le mariage, qui eut lieu en 1770, avait été décidé par les parents. D'abord bien aimée par le peuple, Marie-Antoinette se comportait comme une enfant gâtée et les Français commencèrent à la détester. La Révolution lui fut fatale, comme à son mari. Elle mourut guillotinée le 16 octobre 1793, neuf mois après lui.

Le roi Dagobert mettait-il vraiment sa culotte à l'envers ?

Eh bien non, contrairement à ce que dit la chanson, le roi Dagobert n'était pas un rêveur qui enfilait à l'envers son pantalon. Dagobert Ier, roi dans les années 630, n'avait rien d'un endormi : il lutta pour imposer son pouvoir et participa à des batailles auprès de ses soldats. D'ailleurs, la chanson a été inventée beaucoup plus tard et, si l'on a choisi le nom de Dagobert, c'est surtout parce qu'il rime avec « à l'envers » !

Pourquoi Louis XIV fit-il construire son palais à Versailles ?

Quand Louis XIV était adolescent, d'importantes révoltes menaçèrent le royaume. Le 8 février 1651, il était à Paris avec sa mère Anne d'Autriche lorsqu'une foule en colère entoura leur palais, les empêchant de s'enfuir. Devenu roi, Louis XIV ne put oublier cet événement. C'est l'une des principales raisons pour lesquelles il décida d'agrandir un château de son père, à Versailles. De 1682 jusqu'à sa mort en 1715, il y vécut avec sa cour, glorieusement… et suffisamment loin de Paris.

LES INVENTIONS OU GESTES QUI ONT CHANGÉ NOS VIES

On entend souvent des expressions comme « ça ne date pas d'hier ! » ou encore « c'est vieux comme le monde ! » Eh bien, pour une fois, mettons les points sur les I... ou plutôt des dates sur des inventions !

PARMI LES INVENTIONS DE CETTE DOUBLE PAGE, À TOI DE TROUVER QUELLE DATE CORRESPOND À QUELLE INVENTION !

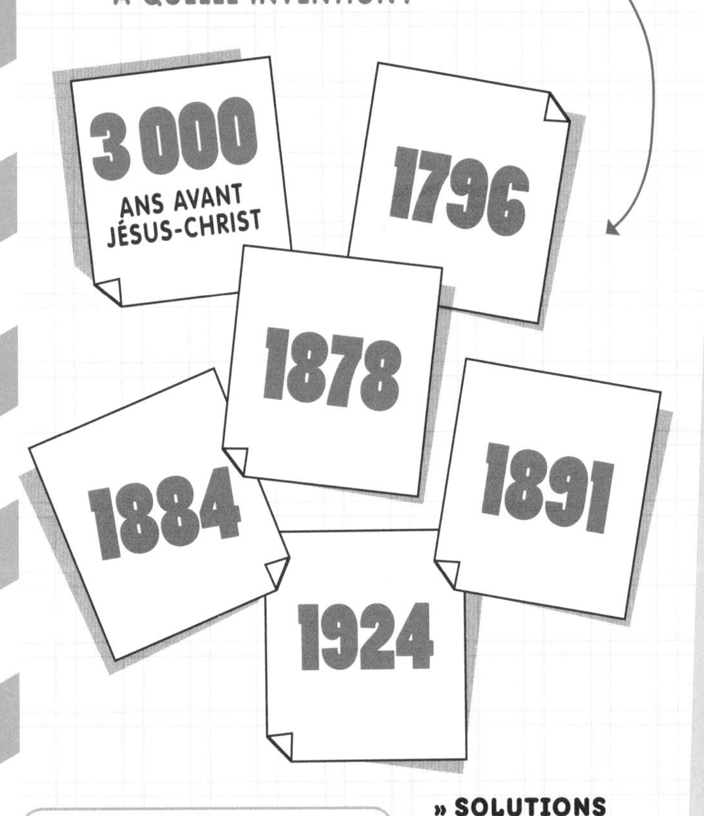

» SOLUTIONS p. 140

Se laver les mains...

C'est aujourd'hui un acte banal pour éviter que les microbes se propagent, mais sais-tu qu'il n'en a pas toujours été de même ? C'est Louis Pasteur, un scientifique français, qui a recommandé aux chirurgiens de se laver les mains avant de toucher un malade et de ne se servir que d'instruments d'une propreté parfaite. Ce fut le début de la stérilisation ! Aujourd'hui, non seulement le chirurgien se lave soigneusement les mains, mais il porte des gants, un masque, et se cache les cheveux. Les instruments utilisés sont stériles, c'est-à-dire qu'ils n'ont aucun germe microbien. On ne plaisante pas avec la propreté !

La suture

Quand une plaie est importante, on la suture, c'est-à-dire que l'on aide la cicatrisation en en rapprochant les deux bords par des agrafes, de la colle ou du fil... L'homme pratique cette opération depuis très longtemps : les Égyptiens savaient déjà faire des sutures !

Dans l'Antiquité et au Moyen Âge, on se servait de fils textiles, mais aussi de cheveux ou de morceaux d'intestin... Bizarre, non ? Aujourd'hui, ce sont des matériaux synthétiques qui composent le fil pour recoudre. Et, comme en couture, on utilise des aiguilles...

Le premier vaccin

Sais-tu que l'origine du nom « vaccin » est la vache ? Au XVIIIe siècle, une terrible maladie ravageait l'Europe : la variole. Un médecin remarqua que les paysannes qui faisaient la traite des vaches atteintes d'une maladie des pis n'attrapaient pas la variole. Il eut l'idée de donner un peu de liquide extrait des boutons du pis de la vache aux êtres humains pour les protéger de la maladie. Il a fallu des années de recherche et de combat pour faire accepter le principe médical, mais l'idée du vaccin était née !

La poubelle

Aurais-tu l'idée de jeter les ordures directement dans la rue ? Non, bien sûr ! Mais sais-tu que l'on faisait ainsi à Paris, jusqu'à ce que le préfet de la Seine, Eugène Poubelle, décide que « les ordures ménagères seront ramassées par l'intermédiaire d'un récipient de bois garni à l'intérieur de fer blanc » ? Il a même créé le tri sélectif avant l'heure en demandant de séparer les ordures ménagères des débris de pots en porcelaine, des coquilles de moules ou d'huîtres, etc. Une riche idée qui a été abandonnée, avant de refaire son apparition un siècle plus tard !

Papier hygiénique en rouleau

C'est au milieu du XIXe siècle, aux États-Unis, qu'a été lancée la fabrication industrielle du papier pour des besoins hygiéniques. Puis on conçut sa commercialisation en rouleau, avec des lignes de perforation pour détacher plus facilement les feuillets. Depuis, ça n'a pas beaucoup changé ! Avant l'invention du papier hygiénique, selon les pays, les climats et les coutumes, on utilisait de l'eau, des pierres, des végétaux (feuilles, herbes, épis de maïs), des fourrures d'animaux ou encore des tissus à base de laine.

Le mouchoir en papier

Le nez qui coule ? Hop, un mouchoir en papier, et le tour est joué ! Un objet vite utilisé et vite jeté, qui a succédé au mouchoir en tissu. L'usage général du mouchoir tel qu'on le connaît aujourd'hui a un peu plus de 100 ans, pas plus ! Auparavant, on se mouchait dans ses doigts, dans sa manche, dans le col de son manteau ou de sa chemise... Beurk !

ÉTONNANTE Marie Curie

Les extraordinaires découvertes de Marie Curie ont permis de mieux connaître les rayonnements émis par certains éléments chimiques que l'on qualifie de « radioactifs ».

Marie Skłodowska naît à Varsovie en 1867. À cette époque, la Pologne appartient à l'Empire russe. Malgré une scolarité secondaire brillante, elle ne peut pas continuer ses études, car l'enseignement supérieur est interdit aux femmes. À 24 ans, elle décide alors de partir à Paris pour s'inscrire à la faculté des sciences.

UNE JEUNE POLONAISE À PARIS

À Paris, Marie étudie la physique et les mathématiques. Elle est rapidement remarquée par ses professeurs. Elle rencontre **Pierre Curie**, un éminent physicien, et l'épouse en 1895. Elle s'intéresse aux mystérieux « **rayons X** » récemment découverts par Röntgen, ainsi qu'à d'autres rayonnements, émis par **l'uranium**, mis en évidence par Becquerel. Elle découvre que ces rayonnements ne sont pas dus à une réaction chimique, mais qu'ils sont une propriété de l'atome d'uranium.

UN PREMIER PRIX NOBEL

Ensemble, Pierre et Marie Curie vont mettre en évidence d'autres éléments chimiques radioactifs : **le polonium**, baptisé ainsi en hommage au pays d'origine de Marie, puis le radium.
En 1903, ils reçoivent **le prix Nobel de physique**, qu'ils partagent avec Henri Becquerel. Marie est la première femme à recevoir ce prix, deux ans après sa création.

Pierre et Marie Curie sont désormais célèbres et peuvent continuer leurs recherches dans les meilleures conditions. En 1906, à la mort de Pierre, renversé par une voiture à cheval, Marie continue seule leurs travaux. En 1911, elle est à nouveau distinguée et reçoit **le prix Nobel de chimie**.

Après la Première Guerre mondiale, elle dirige l'Institut du radium, assistée par sa fille, Irène. Malheureusement, Marie Curie ignore que l'exposition prolongée à la radioactivité provoque des dégâts sur la santé. Elle meurt d'une leucémie en 1934. Un an plus tard, Irène, qui a succédé à sa mère, reçoit le prix Nobel de chimie avec son mari, Frédéric Joliot. Mais Irène décède prématurément, de la même maladie que sa mère, en 1956.

Le prix Irène Joliot-Curie, créé en 2001, récompense et encourage les femmes qui se consacrent à la recherche scientifique.

QUIZZZ !!!

Le **prix Nobel**, qui récompense les scientifiques, les écrivains et les personnes qui œuvrent pour la paix dans le monde tient son nom :

a. d'une déformation du mot anglais *noble*, qui se prononce « nobel ».

b. d'Alfred Nobel, qui en est le créateur.

c. des mots Nouvelles Observations en Biologie, Électricité et Littérature.

» **SOLUTION p. 140**

INVENTIONS

Pourquoi le drapeau français est-il bleu, blanc, rouge ?

Le bleu et le rouge étaient les couleurs de la capitale, Paris, et le blanc, celle des rois de France. Le premier drapeau français tricolore fut créé après la prise de la Bastille, le 14 juillet 1789. C'est donc une invention de la Révolution.

Pourquoi et quand l'euro a-t-il remplacé le franc ?

L'euro est la monnaie de l'Union européenne, utilisée dans 20 de ses États membres. Avoir la même monnaie facilite le commerce entre ces pays. La décision de remplacer le franc et les autres monnaies nationales par l'euro a été prise en 1992. Et il a fallu attendre le 1er janvier 2002 pour que les pièces et les billets en euros soient mis en circulation. En France, les gens ont dû rapidement utiliser ce qui leur restait comme monnaie en francs, ou l'échanger à la banque contre des euros.

Depuis quand la télévision est-elle en couleurs ?

En France, la première émission de télévision en couleurs date de 1967. La télévision existait déjà depuis plus de 30 ans en noir et blanc, et on avait fait des essais en couleurs. Mais il fallait trouver une technique assez efficace, pour obtenir une bonne qualité d'images.

Quand a-t-on commencé à utiliser Internet en France ?

À partir de 1994. Auparavant, et depuis 1988, l'ancêtre d'Internet était surtout utilisé par des chercheurs scientifiques et quelques entreprises. Le premier « navigateur » fut mis au point en 1990 : il devenait possible de consulter des pages, mais il n'y avait pas encore de « fournisseurs d'accès ». Le premier fut disponible en France au début de l'année 1994 et le nombre de gens ayant accès à Internet commença alors à augmenter.

Pourquoi a-t-on construit la tour Eiffel ?

Pour une Exposition universelle, celle de 1889, à Paris. Il s'agissait de montrer les prouesses dont les Français étaient capables. L'ingénieur Gustave Eiffel releva le défi en construisant la plus haute tour du monde, en seulement 2 ans. Les visiteurs furent très impressionnés par cette tour métallique de 300 mètres.

Depuis quand utilise-t-on des téléphones mobiles en France ?

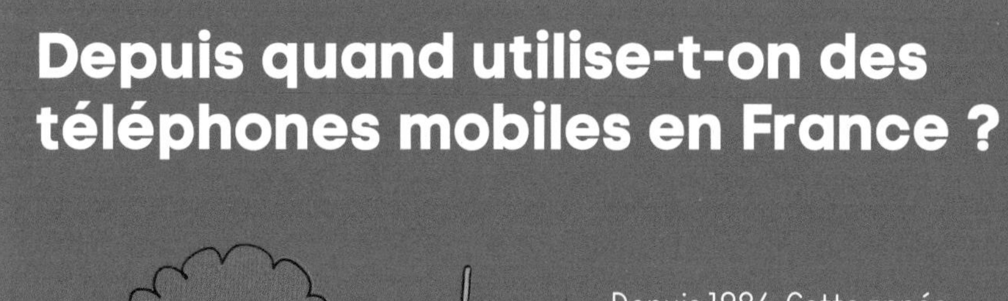

Depuis 1986. Cette année-là, il a été pour la première fois possible d'utiliser sur un réseau national des téléphones mobiles, qui étaient pour la plupart installés dans des voitures. Les premiers portables étaient énormes et munis d'une petite antenne.

D'où vient la fête de la Musique ?

Cette fête, qui a lieu le 21 juin, pour le début de l'été, est une invention française. Sa création remonte à l'année 1982. Le ministre de la Culture de l'époque, Jack Lang, a lancé la première fête de la Musique en invitant tous les musiciens de France, amateurs ou « pros », à sortir jouer dans la rue. En 1982, il n'y avait pas encore de scènes préparées, ni de concerts organisés : c'était spontané. Le succès fut si important qu'on a recommencé tous les ans. Désormais, on fête la musique le 21 juin dans plus de 120 pays.

RÉBUS-RECETTES

« Miroir, miroir, dis-moi qui est la plus belle ! »…

Si la sorcière de Blanche-Neige avait eu les recettes de potions magiques ci-dessous, elle n'aurait pas eu besoin de s'interroger ! Heureusement, toi, tu vas pouvoir les découvrir en exclusivité !

RECETTE POUR **UN PHILTRE D'AMOUR**

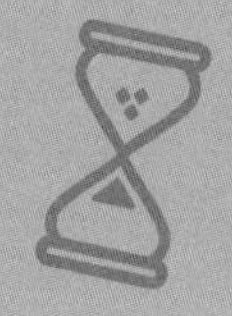

RECETTE **MIRACLE** POUR AVOIR **DES CHEVEUX** FORTS ET BRILLANTS

RECETTE POUR AVOIR **UNE JOLIE PEAU** ET DES MUSCLES DE SPORTIF

» SOLUTION p. 140

LA POUSSÉE d'Archimède

Archimède a vécu au IIIe siècle avant J.-C. C'est l'un des plus grands scientifiques de l'Antiquité et l'un des plus grands mathématiciens de tous les temps. On lui doit de nombreuses découvertes, des formules complexes qui servent encore aujourd'hui et son fameux « Eurêka ! » a traversé les siècles. Et voici ce que raconte la légende...

Archimède vit à Syracuse, la ville de Sicile où il est né. À cette époque, la Sicile est sous influence grecque. Hiéron II, le tyran de la ville, veut se faire faire une magnifique couronne. Il confie une grande quantité d'or à un **orfèvre** pour qu'il la lui réalise. Mais lorsque l'orfèvre livre la couronne, Hiéron le soupçonne d'y avoir mélangé de l'argent, un métal moins coûteux, et d'avoir gardé pour lui une partie de l'or. Il demande à Archimède d'imaginer un moyen de le prouver.

Archimède réfléchit longtemps à ce problème. On raconte que c'est en prenant son bain qu'il a trouvé la solution. Tout excité par sa découverte, il serait sorti de sa baignoire et aurait couru, tout nu et tout mouillé, à travers les rues de Syracuse en criant « **Eurêka !** », qui signifie « J'ai trouvé ! ».

QU'A-T-IL TROUVÉ ?

Le volume de la couronne est égal au volume de l'eau déplacée.
Calculer le volume d'un cube, c'est facile. Mais pour calculer le volume de la couronne, Archimède a l'idée de la plonger dans l'eau.

On dit que la masse volumique de l'or (ou sa densité) est de 19,3 kilogrammes par décimètre cube.
Imagine un cube d'or pur de 10 cm de côté, c'est-à-dire 1 dm. On sait déjà à cette époque qu'un volume d'1 dm^3 d'or pèse 19,3 kg.

EXEMPLE

Imaginons que le volume de l'eau déplacée, donc de la couronne, soit de 2 dm^3.
Il suffit alors de peser la couronne.
Si elle est d'or pur, elle doit peser
2 × 19,3 = 39,6 kg.

Si elle est plus légère, l'orfèvre a du souci à se faire, car cela prouve qu'il a mélangé l'or avec un métal plus léger et moins coûteux.
Et tenter de tromper Hérion, tyran de Syracuse, ce n'est pas une bonne idée !

QUIZZZ !!!

Mettre un **caillou** dans un verre d'eau fait monter le **niveau** de l'eau…

a. uniquement si on le lance trop fort.

b. à tous les coups, même quand on le dépose doucement.

c. jamais.

» SOLUTION p. 140

D'OÙ VIENNENT LES VOLCANS ?

Contrairement aux montagnes, les volcans ne sont pas façonnés par les plis de la Terre mais par des coulées de lave refroidie.

La planète Terre est découpée en 12 grandes pièces de puzzles mouvantes, les plaques tectoniques. Les volcans surgissent souvent à la jonction de ces plaques. Dans les profondeurs de la Terre, la température est si élevée que les roches entrent en ébullition. Mélangées à du gaz, elles forment un magma qui secoue le manteau terrestre et fait bouger les plaques.

Mais certains volcans apparaissent aussi au milieu des plaques. Il existe dans le manteau terrestre des endroits où la température est plus élevée que dans les autres zones de même profondeur : les points chauds. Avec la pression, la croûte terrestre se fissure : le magma s'y infiltre et ressort à l'air libre en formant des volcans.

Ainsi, les volcans permettent à la Terre de réguler sa température.

LES TYPES DE VOLCANS

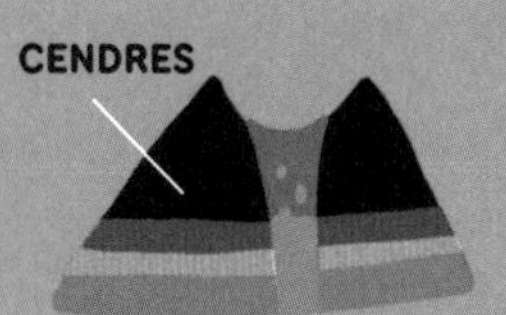

LE CÔNE VOLCANIQUE est constitué uniquement de scories (des fragments de magma refroidi, pleins de petits trous), de bombes volcaniques et de cendres, comme le Vulcano, en Sicile.

Pointu, LE STRATOVOLCAN est fait de couches successives de laves et de cendres. Ses éruptions sont explosives, comme celles du Vésuve, le volcan italien qui a détruit Pompéi.

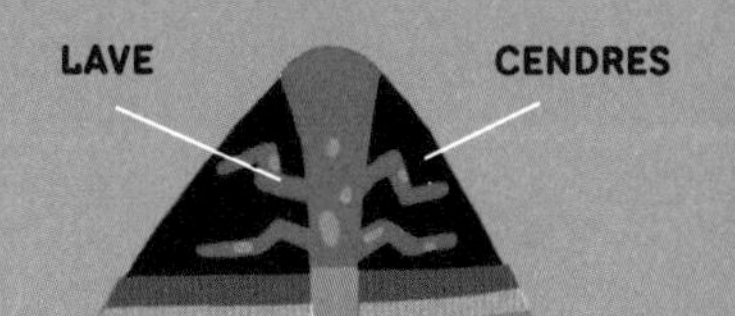

LE VOLCAN BOUCLIER est peu élevé et en pente douce. Sa lave très fluide parcourt des kilomètres avant de s'arrêter. Le Piton de la Fournaise, à la Réunion, est un volcan bouclier.

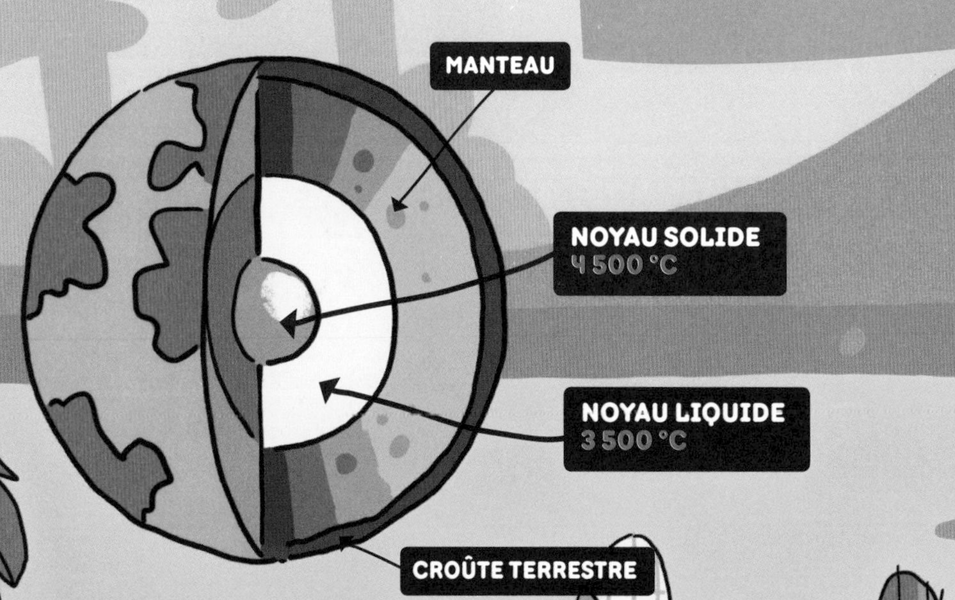

VIE, SOMMEIL ET MORT DES VOLCANS

Un volcan peut être éteint, endormi, actif ou en éruption. **UN VOLCAN EN ÉRUPTION** émet de la lave ou des vapeurs d'eau. Soixante volcans environ sont en éruption chaque année. **UN VOLCAN ACTIF** est entré en éruption au cours des 10 000 dernières années. Aujourd'hui, on compte environ 1 500 volcans terrestres actifs, mais bien plus de volcans sous-marins. On estime qu'un **VOLCAN** est **ENDORMI** lorsque sa dernière éruption remonte à plus de 10 000 ans. Enfin, si un volcan n'a pas connu d'éruption depuis plusieurs dizaines de milliers d'années, on considère qu'il est **ÉTEINT**. Contrairement à un volcan endormi, un volcan éteint ne peut jamais se réveiller.

Des volcans qui grandissent… ou rapetissent !

En 1943, un paysan mexicain a entendu un tremblement de terre secouer son champ de maïs. Très vite, de grandes flammes et de la fumée sont sortis de terre, laissant apparaître une fissure de 50 cm de profondeur. Quatre jours plus tard, l'homme se retrouvait face à un cône volcanique mesurant 60 m de hauteur : le volcan Paricutin était né. Le Paricutin n'a pas cessé de grandir au cours des 10 années suivantes : en 1952, son cône culminait à 424 m ! À l'inverse, en 1980, aux États-Unis, le mont Saint Helens a perdu 400 m en une minute à peine ! Une énorme éruption a fait exploser son sommet…

LES VOLCANS DE L'ESPACE

Savais-tu que la Terre n'est pas la seule planète à abriter des volcans ? Les trois autres planètes rocheuses de notre Système solaire, Mercure, Vénus et Mars comptent de nombreux et gigantesques volcans. Sur Mars, l'Olympus Mons culmine à 27 000 m d'altitude ! Sur Vénus, on compte au moins 1600 volcans. Les scientifiques pensent même que certains sont encore en activité…

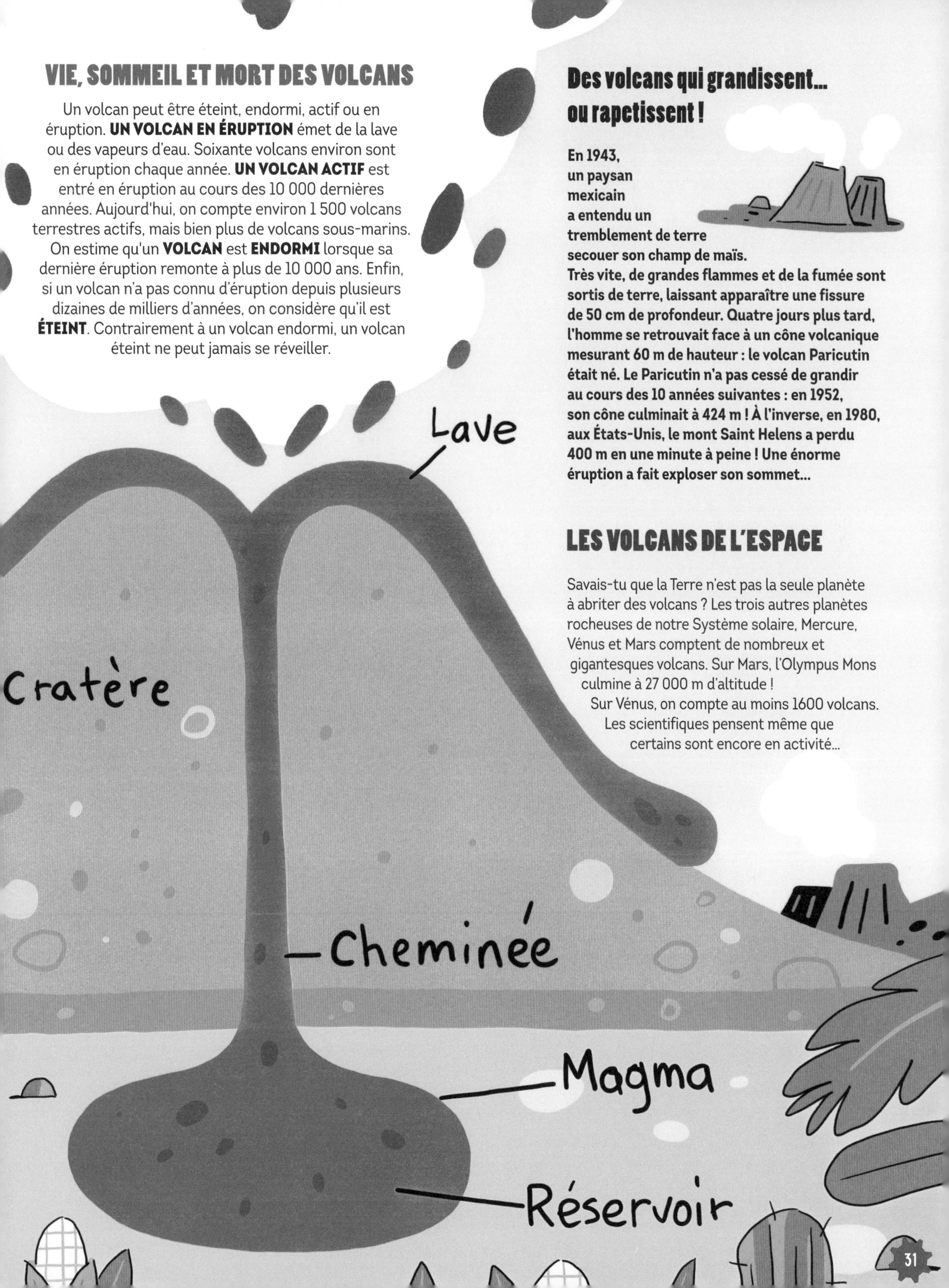

ÉRUPTION COLORÉE

1 Verse deux cuillères à soupe de bicarbonate au fond d'un verre. Colore-le avec du colorant alimentaire pour mieux voir l'expérience.

2 Remplis d'huile la moitié du verre.

3 Verse quelques gouttes de vinaigre au-dessus de l'huile et observe ce qui se passe lorsque du vinaigre coule au fond du verre.

MATÉRIEL

- 1 verre
- du bicarbonate de sodium (rayon sel des supermarchés)
- de l'huile, du vinaigre
- du colorant alimentaire (rayon pâtisserie des supermarchés)

ÇA MOUSSE FORT !

POUR COMPRENDRE

La réaction chimique entre le bicarbonate et le vinaigre produit du gaz carbonique. Celui-ci, plus léger que le mélange, monte vigoureusement à la surface qu'il agite, faisant tomber de nouvelles gouttes de vinaigre jusqu'au bicarbonate : la réaction est de plus en plus vive ! Ne t'inquiète pas, le gaz carbonique (CO_2) n'est pas dangereux, tu en rejettes à chaque expiration, même si, en grande quantité, il est responsable de l'effet de serre.

TRACES D'IMPACTS

MATÉRIEL

- 1 petit plateau
- 1 bille ou un caillou
- de la pâte à modeler
- 1 règle

1 Tapisse le fond du plateau de pâte à modeler sur une épaisseur de 2 cm environ. Lâche la bille au-dessus du plateau d'une hauteur de 30 cm environ. Mesure la profondeur de l'impact.

2 Puis mets-toi debout, lève le bras et lâche la bille. Mesure alors la profondeur du trou de l'impact.

CETTE PROFONDEUR EST BEAUCOUP PLUS IMPORTANTE QUE LA PREMIÈRE FOIS, POURTANT, LA BILLE N'A PAS CHANGÉ !

POUR COMPRENDRE

Ce phénomène est celui de l'accélération de la pesanteur.
La pesanteur est la force que l'attraction terrestre exerce sur les masses.
Plus l'objet tombe de haut, plus il tombe longtemps, plus il accélère et plus il tombe vite. C'est pourquoi il est très dangereux de lâcher des objets, même tout petits, du haut vers le bas.

LE BIG BANG

La majorité des scientifiques s'accorde sur le fait que l'Univers est né à partir d'un point gros comme une tête d'épingle, mais démesurément chaud et lourd. L'énergie contenue dans ce point s'est subitement libérée en une boule de feu phénoménale et s'agrandissant constamment.

Une énorme explosion

Si l'on imagine que le très bref instant lors duquel la tête d'épingle a explosé correspond au 0, alors on peut penser que cette explosion a donné naissance au temps et à l'espace !

BRÈVE HISTOIRE DU TEMPS

Si l'on rapporte l'histoire de l'Univers à la durée d'une année, on peut dire que le Big Bang s'est produit un 1er janvier à 0 heure et que les humains sont apparus sur la Terre le 31 décembre suivant, quelques minutes avant minuit.

1er janvier	**Big Bang** 0 heure, **Nuages de gaz** 0 h 10
5 janvier	**Premières étoiles**
15 janvier	**Voie lactée**
1er septembre	**Système solaire**
22 septembre	**Vie sur la Terre**
31 décembre	**Humains sur la Terre**

La naissance de la matière

ÂGE : 13,7 milliards d'années

TAILLE : 450 000 milliards de milliards de km (mais seulement pour l'Univers visible !)

VITESSE DE LA LUMIÈRE : près de 300 000 km/s

Au début de son histoire, l'Univers est minuscule et sa température dépasse 1 milliard de degrés ! Il fait si chaud et les particules sont si comprimées qu'aucune lumière ne peut en sortir. Puis, comme l'Univers s'étend et se refroidit, ces particules commencent à s'organiser en atomes, base de la matière : l'Univers cesse alors d'être une « purée » pour devenir transparent et lumineux.

LA LENTE FORMATION DE L'UNIVERS

Dans l'Univers, la matière – étoiles, galaxies, planètes… – ne s'est formée que des milliards d'années après le Big Bang. En voici les principales étapes :

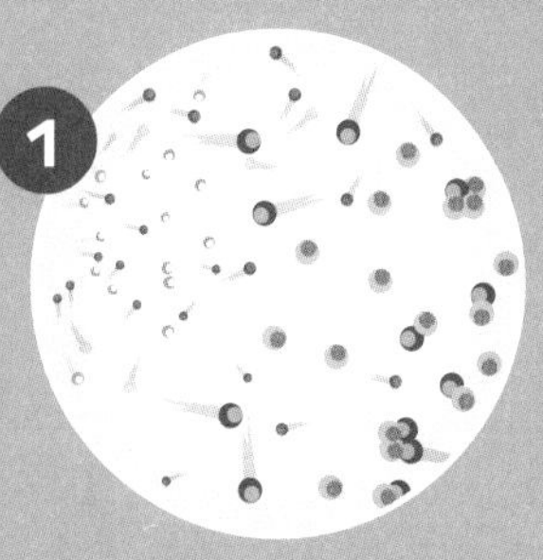

1 Juste après le Big Bang, des particules s'assemblent pour constituer les atomes, éléments primordiaux de toute matière.

2 Le refroidissement de l'Univers entraîne la formation de nuages de gaz.

3 Les premières galaxies naissent, par gravité, à partir de ces nuages de gaz, puis commencent à tourner sur elles-mêmes.

4 Dans ces nuages, naissent les premières étoiles qui commencent à briller grâce à des réactions de fusion nucléaire qui se produisent en leur cœur.

5 Les planètes se créent, aussi par gravité, à partir des poussières contenues dans ces nuages, puis se mettent à tourner autour d'une étoile.

L'expansion de l'Univers

L'Univers s'étend aujourd'hui de 20 millions de km par minute ! Les scientifiques s'en sont aperçus, car la lumière émise par les galaxies devient plus rouge. Mais ce ne sont pas les corps célestes eux-mêmes qui se déplacent, c'est l'Univers qui « s'allonge ».

Pour mieux se représenter l'expansion de l'Univers, on peut imaginer un cake aux raisins : en cuisant, le cake gonfle et prend plus de volume, mais les grains de raisin, eux, restent à la même place ! C'est le même phénomène que lorsque tu gonfles un ballon !

MAIS POURQUOI L'UNIVERS S'ÉTEND-IL ?

Les scientifiques pensent que cela serait dû à la présence d'une mystérieuse énergie sombre (car non visible) dans le cosmos. Cette énergie en constituerait plus de 68 % !

PASSION UNIVERS

Quel âge a le Soleil ?

Le Soleil a environ 4,57 milliards d'années. Pendant encore à peu près le même laps de temps, cette étoile va peu à peu consumer et épuiser ses gigantesques réserves d'hydrogène. Au terme de sa « vie », elle va se dilater, son diamètre s'accroître jusqu'à être 100 fois plus important qu'aujourd'hui. Devenu rouge, le Soleil explosera, puis s'éteindra et se fera tout petit. Ce sera alors une « naine blanche ».

Combien pèse la plus grosse météorite jamais retrouvée sur Terre ?

Une météorite est faite de roche ou de métal, parfois des deux. D'origine extraterrestre (de Mars, de la Lune, etc.), elle se désagrège, en principe, quand elle pénètre dans l'atmosphère terrestre. Cependant, certaines météorites atteignent le sol à peu près intactes ou en morceaux. La plus grosse connue à ce jour a été découverte en Namibie (au sud de l'Afrique) en 1920. Surtout constituée de fer, elle est tombée sur Terre il y a sans doute quelques dizaines de milliers d'années. Elle a été peu détériorée au fil du temps et pèse aujourd'hui environ 60 t.

A-t-on la preuve que les extraterrestres existent ?

Non, mais les scientifiques cherchent... En 1972, la sonde américaine *Pioneer 10* a été envoyée dans l'espace, de manière à franchir les limites du Système solaire. Elle comportait un message, sous forme de dessin, destiné à d'éventuels extraterrestres. Or, à ce jour, ceux-ci n'ont pas encore répondu ! Par ailleurs, les astronomes s'efforcent de trouver, dans l'Univers, des planètes où une forme de vie comparable à celle qui existe sur la Terre pourrait s'être développée.

Combien a-t-on découvert de planètes en dehors du Système solaire ?

Grâce à leurs télescopes, les astronomes ont découvert près de 1 700 exoplanètes, c'est-à-dire des planètes situées hors du Système solaire. Certaines d'entre elles semblent avoir une température relativement modérée et disposer d'eau sous une forme liquide. Une vie plus ou moins comparable à celle qui existe sur la Terre pourrait s'y développer. Or, à ce jour, aucune activité biologique n'a jamais été détectée sur une autre planète que la nôtre. Mais les chercheurs ont du pain sur la planche : il existerait plusieurs centaines de millions de planètes dans notre galaxie !

À quoi sert un satellite ?

Il existe des satellites naturels (comme la Lune pour la Terre) ou artificiels (le premier, *Spoutnik*, a été lancé dans l'espace en 1957 par les Soviétiques). Dans ce cas, ils servent par exemple à prendre des photos de la Terre depuis l'espace, ou bien à réaliser des mesures météorologiques, ou encore à transmettre des télécommunications.

Pourquoi Pluton ne fait-elle plus partie des « vraies » planètes du Système solaire ?

Jusqu'en 2006, on considérait que Pluton était une planète du Système solaire à part entière, au même titre que la Terre ou Neptune. Mais, cette année-là, les astrophysiciens ont rétrogradé ce corps céleste dans la catégorie des « planètes naines ». Pourquoi ? Parce que, contrairement aux « vraies » planètes de notre Système solaire, composées de roches ou de gaz, Pluton est faite de glace, qu'elle est petite et que son orbite ne décrit pas un cercle mais un ovale. Depuis 2006, le Système solaire ne possède donc plus 9, mais 8 planètes.

Qui fut le premier Français dans l'espace ? Et la première Française ?

Le premier Français à voyager dans l'espace fut Jean-Loup Chrétien, militaire, pilote et spationaute. En 1982, il s'envola à bord d'un vaisseau russe et rejoignit une station spatiale. Quant à la première Française spationaute, elle se nomme Claudie Haigneré et effectua sa première mission en 1996.

LE CORPS HUMAIN EN CHIFFRES

Associe chaque question à sa réponse chiffrée !

1. LA LONGUEUR DE TON INTESTIN GRÊLE ?

2. Le nombre de muscles qui entrent en jeu quand tu souris ?

3. Le nombre d'os dans le corps humain ?

4. La vitesse que peut atteindre l'air expulsé lors d'un éternuement ?

5. Le nombre moyen de battements de ton cœur en 1 minute ?

6. La longueur minimum des vaisseaux sanguins d'un adulte ?

7. Le nombre moyen de papilles sur ta langue ?

8. LA TAILLE DE TON TYMPAN ?

9. Le nombre de fois que les bébés clignent des yeux en 1 minute ?

10. La vitesse moyenne d'un adulte lorsqu'il marche ?

11. Le nombre d'années qu'il faut à l'être humain pour atteindre sa taille adulte ?

12. La distance moyenne que parcourt ton sang chaque jour dans ton corps ?

13. La longueur minimum des vaisseaux sanguins d'un adulte ?

14. LE NOMBRE DE TONALITÉS DIFFÉRENTES QUE L'ŒIL HUMAIN PEUT PERCEVOIR ?

» SOLUTIONS p. 140

50 km/h

6 m

3 km/h

2

10 000 000

20

70

17

1 cm

19 000 km

100 000

10 000

206

65

TACHE AVEUGLE !

1. Dessine un disque noir de 15 mm de diamètre environ sur la feuille de papier.

2. Installe-toi confortablement à table. Pose la feuille et le verre devant toi.

MATÉRIEL

- 1 feuille de papier
- 1 feutre noir
- 1 verre (ou un autre petit objet)

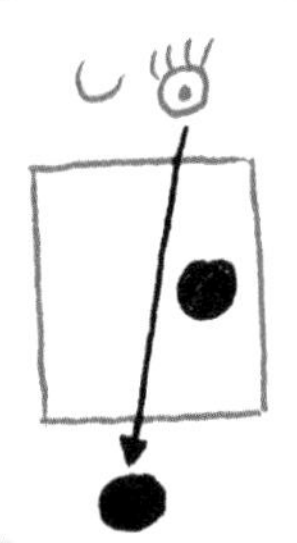

3. Cache l'œil droit et, avec le gauche, regarde dans la direction du verre. Fais glisser doucement la feuille de papier sur la table en positionnant le disque noir dans la zone en bas à gauche de ton champ de vision.

TU TROUVERAS UN EMPLACEMENT PRÉCIS OÙ LE DISQUE NOIR DISPARAÎT !

POUR COMPRENDRE

Ton œil est tapissé de cellules qui captent les informations visuelles et les envoient au cerveau grâce au nerf optique. Là où le nerf optique s'attache au globe oculaire, il n'y a pas de capteurs : c'est la tache aveugle. Si tu positionnes le disque noir exactement à cet emplacement, ton œil ne peut plus le voir !

LECTURE TROMPEUSE !

ROSE BLEU NOIR
ORANGE ROSE VERT
VERT NOIR BLEU
ROSE ORANGE NOIR

1 Sur la feuille de papier, recopie les mots ci-contre en respectant la couleur et l'ordre de chaque mot.

MATÉRIEL

- 1 feuille de papier
- 1 feutre noir, 1 feutre vert, 1 feutre bleu, 1 feutre orange et 1 feutre rose
- 1 chronomètre

2 Lis tous les mots à haute voix, le plus vite possible. Chronomètre le temps que tu mets à les lire tous sans te tromper.

3 Maintenant, au lieu de lire les mots, dis leur couleur (noir, orange, vert...) et chronomètre-toi.

TU METS BEAUCOUP PLUS DE TEMPS !

Fais l'expérience avec un adulte, ce sera encore pire...

POUR COMPRENDRE

Ton cerveau te permet de lire à toute vitesse, même un texte qui n'a pas de sens, comme la suite des mots du tableau. Quand tu dois annoncer autre chose que le mot que ton cerveau a déjà lu (ici, la couleur du mot), tu dois réfléchir et cela te prend plus de temps ! Si on essaye d'accélérer, en général, on se trompe après le mot « rose », qui est rose : on dit « vert », alors que le mot est « orange »...

UNE ÉOLIENNE, COMMENT ÇA MARCHE ?

Une éolienne produit de l'électricité grâce au vent. Celui-ci fait tourner les pales de son hélice (aussi appelée « rotor ») : ce qui crée de l'énergie mécanique. À son tour, l'hélice met en mouvement un alternateur, qui produit de l'électricité.

① En moyenne, une éolienne permet de fournir de l'électricité (chauffage non compris) à :

A. environ 20 foyers
B. environ 200 foyers
C. environ 2 000 foyers

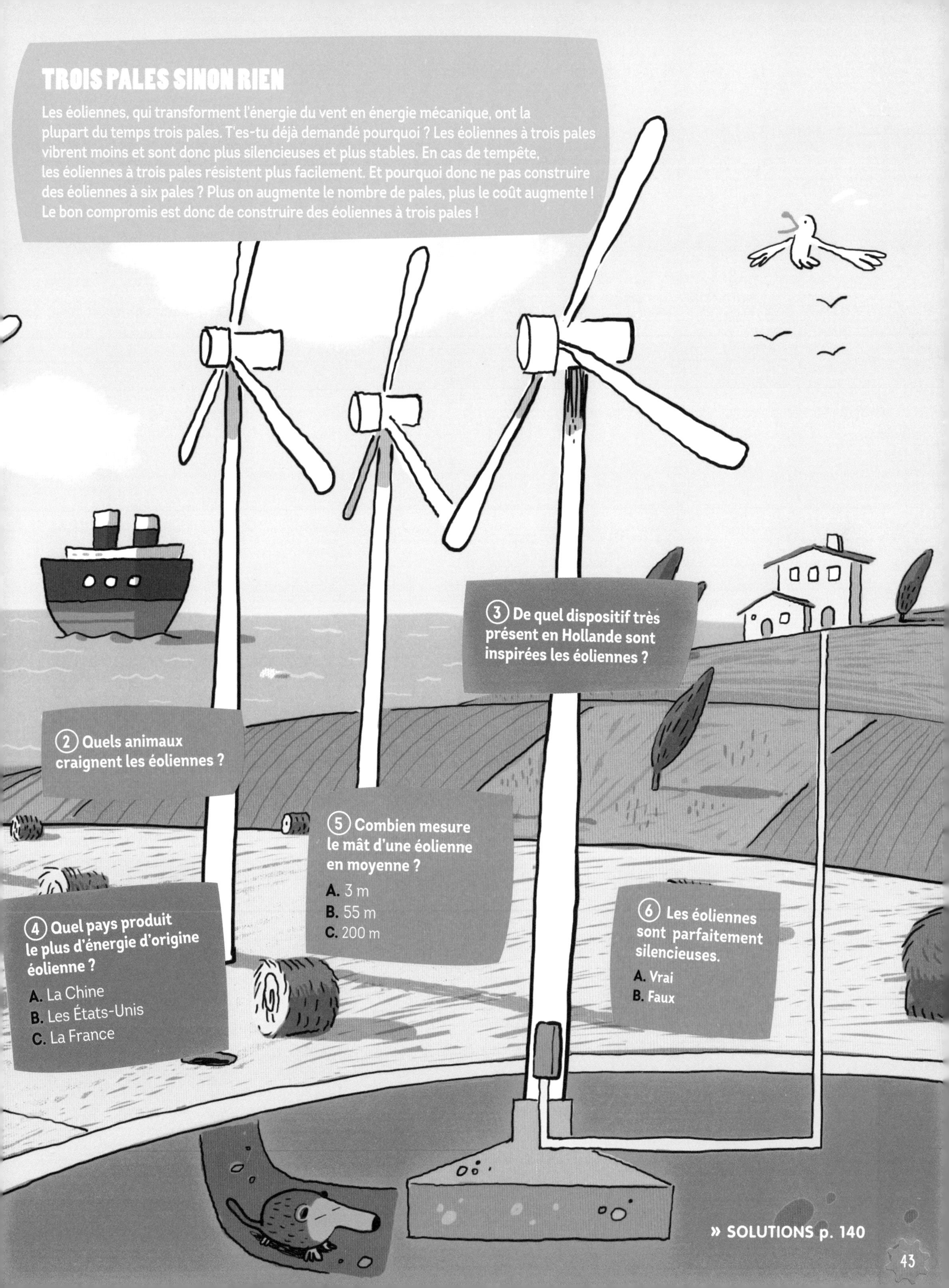

TROIS PALES SINON RIEN

Les éoliennes, qui transforment l'énergie du vent en énergie mécanique, ont la plupart du temps trois pales. T'es-tu déjà demandé pourquoi ? Les éoliennes à trois pales vibrent moins et sont donc plus silencieuses et plus stables. En cas de tempête, les éoliennes à trois pales résistent plus facilement. Et pourquoi donc ne pas construire des éoliennes à six pales ? Plus on augmente le nombre de pales, plus le coût augmente ! Le bon compromis est donc de construire des éoliennes à trois pales !

③ De quel dispositif très présent en Hollande sont inspirées les éoliennes ?

② Quels animaux craignent les éoliennes ?

⑤ Combien mesure le mât d'une éolienne en moyenne ?

A. 3 m
B. 55 m
C. 200 m

④ Quel pays produit le plus d'énergie d'origine éolienne ?

A. La Chine
B. Les États-Unis
C. La France

⑥ Les éoliennes sont parfaitement silencieuses.

A. Vrai
B. Faux

» SOLUTIONS p. 140

INFOS/DOCS

LES MYSTÈRES DE LA GÉNÉTIQUE

La génétique est la science qui étudie comment les différentes caractéristiques d'un être vivant se transmettent à sa descendance.

Parmi les êtres vivants, certains se reproduisent simplement en se séparant en deux, comme les bactéries, ou par clonage, comme lorsque l'on fait une bouture d'une plante verte. Les descendants sont identiques à l'unique parent. Chez l'immense majorité des animaux – et parmi eux, l'homme – et chez beaucoup de végétaux, on parle de reproduction sexuée, car elle nécessite deux parents de sexe différent. Les descendants possèdent une partie des gènes de chacun des parents. Le gamète mâle et le gamète femelle sont chacun porteur de la moitié du patrimoine génétique. En fusionnant, ils constituent le génotype d'un nouvel être qui tient de ses deux parents. On parle de brassage génétique, qui favorise la bonne santé et l'évolution de l'espèce.

Les gènes d'un être vivant sont disposés sur une immense molécule, appelée ADN, en forme de double hélice. Les brins d'ADN sont contenus dans les chromosomes, eux-mêmes situés dans le noyau de chaque cellule du corps. Les chromosomes vont par paires, chaque paire étant constituée d'un chromosome venant du mâle et l'autre venant de la femelle. Un être humain possède 23 paires de chromosomes.

L'étude des génotypes des différentes espèces permet de comprendre certains aspects de l'évolution et la recherche d'ancêtres communs aux hommes et aux grands singes d'aujourd'hui, par exemple. Grâce au décodage du génotype humain, on peut également prévenir certaines maladies.

Vrais ou faux jumeaux ?

Deux jumeaux sont deux bébés qui grandissent en même temps dans le ventre de leur mère et qui naissent à quelques minutes d'intervalle.
Les « faux » jumeaux sont deux frères ou deux sœurs ou un frère et une sœur provenant de deux œufs distincts qui ont été fécondés en même temps.

Les « vrais » jumeaux proviennent du même œuf qui s'est séparé en deux, on ne sait pas pourquoi.
Ils ont donc strictement le même patrimoine génétique.

Ils sont forcément du même sexe. Ils devraient en principe être absolument identiques et pourtant, au cours de leur croissance, ils développent de petites différences.
La génétique ne fait pas tout, l'environnement compte aussi !

XX ou XY ?

Sur les 23 paires de chromosomes que possède chaque être humain, il y en a une qui détermine le sexe du nouveau bébé. À cause de leur forme, l'un des chromosomes de la paire est appelé X et l'autre, Y. Une paire XX donne une fille, une paire XY donne un garçon. Tous les gamètes de la maman sont X, et les gamètes du papa sont soit X, soit Y. Par combinaison au moment de la fécondation, il y a autant de chances d'avoir une fille que d'avoir un garçon.

MÈRE: X, X

PÈRE: X, Y

X + X → C'est une fille !

X + Y → C'est un garçon !

JEUX HISTOIRE DE FRANCE

Manquent le seau et la pelle

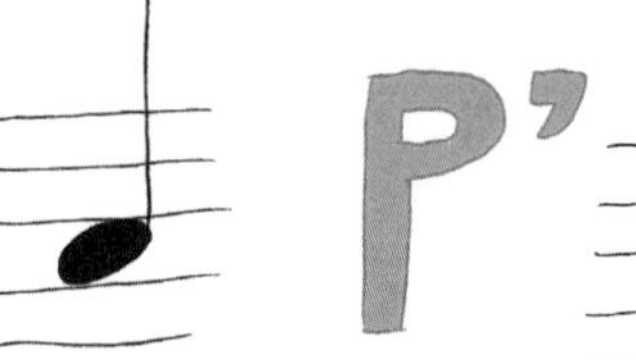

Résous le rébus, et tu sauras ce qu'a peint cet homme sur un mur de Paris en mai 1968.

L'ÎLE DE LA GROTTE

Aide cet équipage de pirates à accoster sur l'île de la Grotte pour y cacher leur trésor.

QU'EST-CE QUI CLOCHE ?

RANGE TES COURONNES !

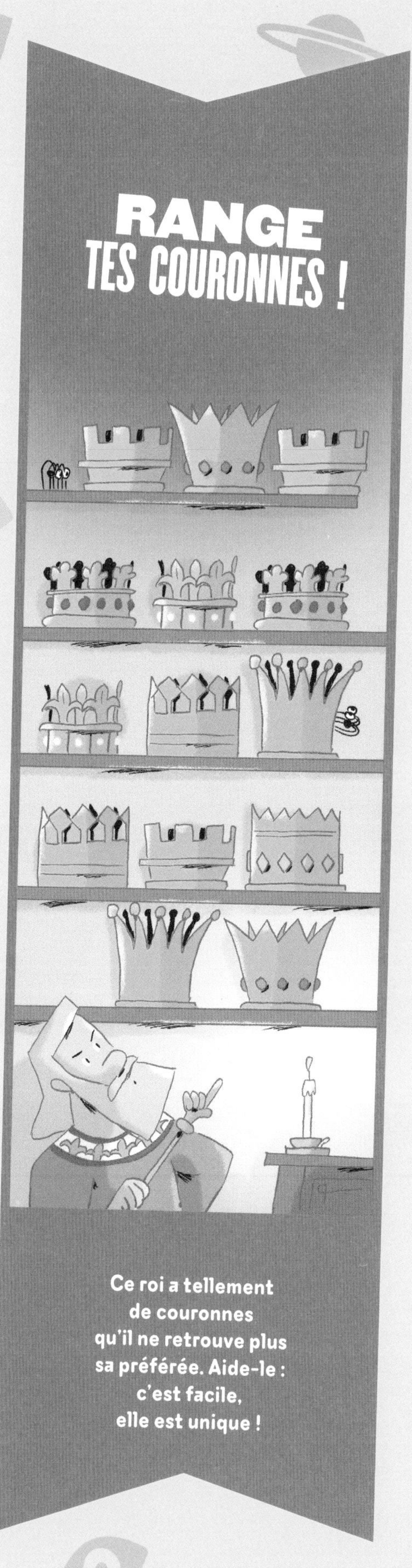

Par Toutatis !

» SOLUTIONS p. 140

Copernic et Galilée

Tu sais depuis longtemps que la Terre tourne sur elle-même et qu'elle gravite autour du Soleil. Mais les Anciens ont dû le découvrir en observant le ciel nocturne et en faisant des calculs complexes. Car la première observation donne plutôt l'impression que c'est le Soleil qui mène une course d'est en ouest dans notre ciel !

L'observation du ciel, dans la plus haute Antiquité, avait essentiellement pour but de prévoir les événements du climat, comme les saisons ou la crue des fleuves, ce qui était fort utile pour l'agriculture. L'étude du mouvement apparent des étoiles ou de la Lune dans le ciel et celui du Soleil permit aux anciens Égyptiens d'établir un calendrier qui sert encore de nos jours, avec des années de 365 jours et des journées de 24 heures. Mais la plupart des modèles antiques, comme ceux d'**Aristote** et de **Ptolémée**, admettaient que les corps célestes tournaient autour de la Terre, création des dieux ou de Dieu selon les religions, et centre du monde. Les scientifiques grecs, qui ont soutenu une hypothèse différente dès le IVe siècle avant notre ère, n'ont tout simplement pas été écoutés.

LA RÉVOLUTION COPERNICIENNE

En Europe, il faut attendre le milieu du XVIe siècle pour que le Polonais **Nicolas Copernic** propose un modèle où ce n'est plus la Terre, mais le Soleil qui est le centre de l'Univers. D'autres scientifiques s'intéressent à ces nouvelles théories. En 1572, une nouvelle étoile apparaît dans le ciel, visible même en plein jour. Cette mystérieuse apparition achève de démolir le modèle d'Aristote, pour lequel les cieux étaient figés une fois pour toutes, immuables. On sait aujourd'hui qu'il s'agissait d'une supernova, la mort d'une étoile lointaine de notre galaxie.

Johannes Kepler publie en 1609 un traité où il explique que les orbites des planètes, c'est-à-dire les trajectoires qu'elles dessinent autour du Soleil, ne sont pas circulaires, mais elliptiques : elles se déplacent sur une ellipse, une sorte de cercle aplati. De plus, l'emplacement du Soleil est décalé par rapport au centre de l'ellipse. Kepler démontre, par des calculs, que sa théorie explique toutes les trajectoires des planètes du Système solaire et leurs mouvements observables depuis la Terre.

LES ENNUIS DE GALILÉE

Au même moment, en Italie, **Galilée** met au point une nouvelle lunette pour observer les étoiles. Il découvre, entre autres, que la Voie lactée est formée par des milliards d'étoiles lointaines. Il publie ses découvertes en 1632 et démontre les avantages scientifiques des théories de Kepler pour les expliquer. Mais l'Église de l'époque reste fidèle aux idées d'Aristote. Galilée doit renoncer publiquement à défendre que c'est la Terre qui tourne autour du Soleil.

La légende raconte qu'en quittant la salle du procès, Galilée maugréa tout bas dans sa barbe : « Et pourtant, elle tourne ! »
Bien qu'il soit interdit par l'Église de lire les ouvrages de Kepler ou de Galilée, les scientifiques continuèrent à chercher et à accumuler des preuves que la Terre tournait effectivement autour du Soleil.
Ce n'est qu'en 1992 que l'Église a reconnu ses torts envers Galilée, sans toutefois le réhabiliter, puisque le tribunal qui l'avait condamné, celui de l'Inquisition, avait disparu depuis.

LE CORPS HUMAIN EN JEUX

Pied, main, cou, tête… beaucoup de parties du corps humain ont servi à créer des expressions que tu emploies peut-être sans en connaître vraiment le sens !

Trouve la définition qui correspond à chacune des expressions !

B. Avoir le cœur sur la main

C. Se creuser la tête

D. Garder son sang-froid

A. Prendre ses jambes à son cou

F. Avoir un poil dans la main

E. Manger sur le pouce

G. Être pris la main dans le sac

1. « Être généreux »
Cette expression date du XVIIIe siècle et fait référence au cœur en tant que siège des émotions. Une main tendue avec un cœur dessus montre une personne qui offre ses sentiments, qui est prête à faire beaucoup pour une autre personne. On imagine également une main tendue, symbole encore plus puissant de solidarité et de générosité.

2. « être paresseux »
Cette expression vient d'une image : si quelqu'un n'utilise pas régulièrement sa main, un poil peut y pousser. Mais ça n'arrive jamais en vrai !

3. « Réfléchir »
Cette expression renvoie à une idée de puissant effort intellectuel. Cela signifie que l'on réfléchit intensément à quelque chose.

4. « être pris en faute »
C'est tout simplement être surpris en train de commettre un délit. Cette expression est fidèle à l'image dont elle s'inspire : des pickpockets attrapés en plein méfait. Elle illustre les situations où une personne est prise sur le fait, en train d'accomplir un acte qu'elle cherche à cacher.

5. « Rester calme »
Cette expression est utilisée à partir du XVIIe siècle. Elle s'explique tout simplement par rapport au comportement du corps. Lorsque le sang est froid, la personne est tranquille, si elle est excitée, le sang devient chaud. À l'inverse de celui qui a le sang froid, on dira de quelqu'un sur le point de s'énerver qu'il a le sang qui bout.

6. « Manger rapidement »
C'est un peu le contraire de faire un repas pantagruélique : c'est manger rapidement et souvent en petite quantité ! L'expression est apparue au XIXe siècle et renvoie certainement au pouce que l'on utilise beaucoup lorsque l'on manie un couteau et des tranches de pain, autrement dit lorsque l'on prend un repas rapide.

7. « Fuir »
À l'origine, cette expression désignait quelqu'un qui se préparait pour un voyage et emportait dans son sac autour de son cou ses affaires et ses… jambes, bien sûr ! Maintenant, l'expression signifie fuir à toute vitesse !

SI ON TE DIT « POUMON » OU « CERVEAU », TU VOIS DE QUOI ON PARLE. MAIS SAIS-TU À QUOI CES ORGANES RESSEMBLENT ? ON VA LE SAVOIR TOUT DE SUITE : RELIE CHAQUE DESSIN À SON NOM.

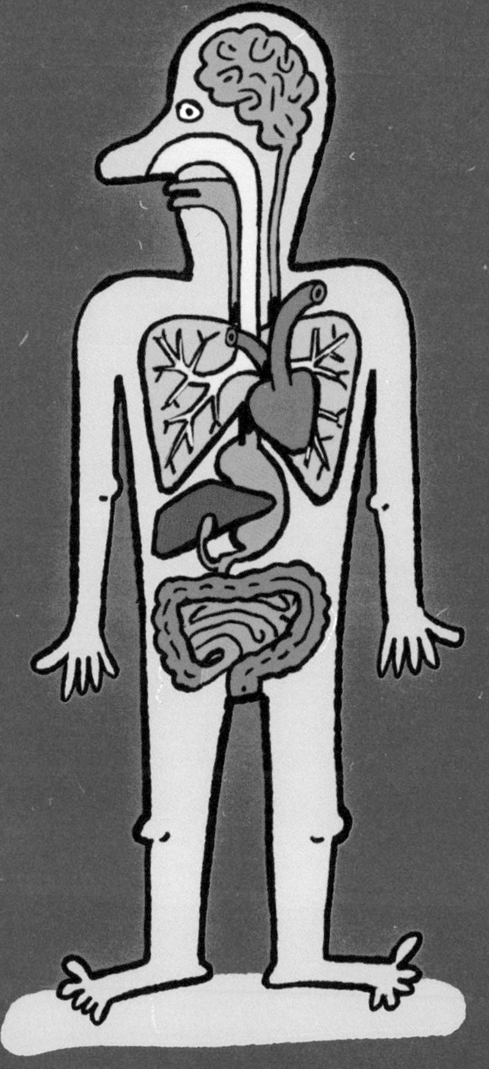

Bronche

Aorte

Gros intestin

Cœur

Foie

Poumon

Cerveau

Retrouve les mots du corps humain cachés dans cette grille ! **Ils peuvent être placés horizontalement (sens de lecture de gauche à droite) ou verticalement (de haut en bas). Pour ne pas abîmer ton livre tout en jouant, utilise un crayon à papier ! Bonne chasse !**

BRAS
BRONCHE
CHEVILLE
COU
CUBITUS
FOIE
HÉMISPHÈRE
MÉTACARPE
NARINE
OREILLE
PÉRONÉ
POUCE
ROTULE
STERNUM
SOURCIL
SQUELETTE
VERTÈBRES

S	T	E	R	N	U	M	X	E	R	T	E
O	O	C	O	U	R	E	Y	E	D	S	B
U	V	O	T	B	J	T	I	K	P	M	R
R	E	P	U	C	S	A	J	M	P	N	O
C	R	T	L	H	X	C	G	N	E	A	N
I	T	F	E	E	Q	A	Y	Y	C	R	C
L	E	H	M	V	B	R	A	S	U	I	H
F	B	O	R	I	B	P	E	R	O	N	E
O	R	E	I	L	L	E	U	A	P	E	Q
I	E	A	D	L	C	U	B	I	T	U	S
E	S	Q	U	E	L	E	T	T	E	T	Z
H	E	M	I	S	P	H	E	R	E	A	W

» SOLUTIONS p. 140

LE CORPS HUMAIN AU QUOTIDIEN

Ton corps a besoin de beaucoup de choses pour bien fonctionner ! Mais, tout comme une maison a quatre murs, on pourrait dire que ton corps a quatre besoins basiques qui sont vitaux : respirer, manger, boire et dormir !

Respirer

Dès la naissance, nous devons respirer : c'est une fonction vitale ! Heureusement, on respire sans y penser. En dormant, en jouant, en regardant la télévision...
La respiration ne s'arrête jamais !

QUAND ÇA COINCE...

Dans la gorge, se trouve une languette mobile en cartilage que l'on appelle « l'épiglotte ». Placée juste avant l'œsophage, c'est elle qui empêche le passage d'aliments ou de liquide vers la voie respiratoire. Mais il arrive qu'elle soit prise de vitesse et qu'on ait la sensation que « quelque chose est passé par le mauvais trou ». **Le réflexe est alors de tousser pour faire ressortir l'intrus.**

... OU QUAND ÇA GÊNE !

Lorsque le cerveau enregistre qu'un élément étranger, souvent invisible à l'œil nu, se trouve dans le nez, il provoque un **éternuement** pour l'éjecter et nettoyer le nez. Pratique, non ?

MANGER

Une voiture a besoin d'essence pour rouler et un ordinateur a besoin d'électricité pour fonctionner. Eh bien, ton corps, c'est pareil, il a besoin d'énergie pour être en forme ! Pour sauter, courir, réfléchir, jouer, il faut faire le plein ! **Et cette énergie ne vient pas de nulle part : ce sont, entre autres, les aliments que tu manges qui t'apportent ce dont tu as besoin.** Parce qu'ils sont riches en vitamines, les légumes sont indispensables, contrairement aux bonbons, par exemple, qui ne contiennent que du sucre... Des fois que tu te poses la question : non, on ne peut pas se nourrir uniquement de bonbons et de gâteaux !

QUI DIT MANGER TROP VITE, DIT... HOQUET !

Quand on mange trop vite, mais aussi parfois sans raison apparente, **le grand muscle situé sous l'estomac et les poumons, le diaphragme, se contracte.** L'air remonte brusquement et fait du bruit dans la gorge. Les astuces pour s'en débarrasser : tenter de l'oublier, retenir sa respiration quelques secondes, demander à quelqu'un de te faire peur ou encore tenter de boire à l'envers. Qu'est-ce qui marche pour toi ?

HIC !

DORMIR

« Mais non, papa, maman, je ne suis pas fatigué »... Mensonge ! Car dormir est l'un des piliers d'un corps en bonne santé ! Et tu as beau croire le contraire, ton corps a besoin de se reposer. Pendant le sommeil, ton corps reprend des forces pour le lendemain et recharge ses batteries !

La nuit, parfois, on ronfle aussi !

« Ronfler, moi ? Jamais ! » Et pourtant, beaucoup de gens qui dorment allongés sur le dos ronflent ! Car l'air a plus de mal à passer dans la gorge et **la respiration provoque des vibrations qui deviennent des ronflements.**

?! LE SAIS-TU ?

Quand tu dors, tu rêves... même si tu ne t'en souviens pas toujours! Dans le sommeil, il y a plusieurs phases : tu es d'abord en sommeil léger, puis tu plonges dans un sommeil profond. À ce moment-là, ton cerveau s'active et fabrique des rêves à partir d'événements que tu as vécus ou à partir de choses auxquelles tu as beaucoup pensé.

Boire

C'est l'un des éléments les plus importants pour vivre ! **Selon la morphologie, le corps est composé de 60 à 70 % d'eau,** mais, sans qu'on s'en rende compte, une partie de cette eau disparaît chaque jour lorsqu'on transpire, respire ou encore lorsqu'on va aux toilettes. Il faut donc boire pour continuer à nourrir notre corps.

ET D'AILLEURS, POURQUOI ON TRANSPIRE ?

Quand il fait chaud, quand on a de la fièvre, quand on fait du sport, ou encore sous le coup d'une émotion, eh bien, la température du corps augmente et on transpire ! C'est normal et même nécessaire, car, grâce à la transpiration, le corps se rafraîchit !

IMAGES AU CHOIX

Certaines images sont conçues pour permettre à ton cerveau de les interpréter de deux façons différentes. Tu peux l'obliger à passer autant de fois que tu le souhaites de l'une à l'autre !

VASE OU VISAGES ?

QUE VOIS-TU EN PREMIER ?
Un vase ou deux visages qui se font face ? Tout dépend de ce que tu choisis comme arrière-plan ou comme premier plan !

2

LAPIN/CANARD

LES DEUX IMAGES SONT PEUT-ÊTRE MOINS FACILES À VOIR.
À gauche, est-ce le bec d'un canard ou les oreilles d'un lièvre ?

3

EN SE PENCHANT...

SUR CETTE IMAGE, PAS DE DOUTE, C'EST LE PORTRAIT D'UN CLOWN. **Par curiosité, fais pivoter ton livre d'un quart de tour. Maintenant, vois-tu les acrobates, les cavaliers et l'otarie sur la piste du cirque ?**

4

NON SENS

CES PETITES TACHES ÉPARPILLÉES N'ONT AUCUN SENS, semble-t-il. Pourtant, ton cerveau cherche à leur en donner un. Et là, miracle... tu vois apparaître un cavalier et son cheval !

5

LA VACHE !

TU NE VOIS QUE DES TACHES BRUNES ? **Et on te dit que c'est une vache, la vois-tu ? Le plus curieux, c'est que dès que tu auras « décodé » cette image et que tu auras vu la vache, tu ne pourras plus retrouver ta première impression !**

C'EST UN PEU BEURK, MAIS C'EST NATUREL !

La vérité sur les pets

Soyons clairs tout de suite : si tu rencontres quelqu'un qui affirme « Moi ? Ah non, je ne pète jamais ! », tu peux lui dire qu'il ment, et encore mieux lui mettre sous le nez ce livre avec des chiffres et des infos indiscutables !

14 : c'est le nombre moyen de pets par jour chez l'être humain.
1 litre : c'est la quantité moyenne de pets expulsés par les autres que nous respirons chaque jour.
11 km/h : c'est la vitesse moyenne d'un pet. Plus rapide qu'une limace (2 km/h) ou qu'un être humain en train de marcher (4 km/h), mais moins rapide qu'une autruche en train de courir quand même (70 km/h) !

DE QUOI UN PET EST-IL COMPOSÉ ?

Le pet est composé à 99 % de gaz tels que le nitrogène et le dioxyde de carbone qui ne sentent rien. Comment ça ? Eh oui, l'odeur est concentrée dans le dernier pourcent qui est composé de sulfure.

PÉTER DANS UN AVION, C'EST BON POUR LA SANTÉ !

La baisse de la pression aérienne dans l'avion entraîne une production accrue de gaz digestifs, et des scientifiques ont prouvé qu'il était mauvais de se retenir. Pour éviter des indigestions ou des brûlures d'estomac, il faut péter !

LES CROTTES DE NEZ

Dans l'air que tu respires, il y a toutes sortes de petites choses qui pénètrent dans ton nez : de la poussière, des bactéries, des acariens, du pollen, du sable... **Toutes ces matières microscopiques sont retenues par les poils.** Et quand c'est bien sec, ça donne des crottes de nez!

Les rots

L'air que tu avales lorsque tu manges se mélange au gaz resté dans la partie supérieure de l'estomac. **Lors de la digestion, les acides dissolvent les aliments en ajoutant encore un peu de gaz.** Tu imagines bien que tout ce gaz doit alors sortir de l'estomac... Celui-ci le propulse alors vers la bouche dans un gros burp libérateur !

LE CACA

Ton estomac a fait son job : il a réduit en bouillie tous les aliments que tu as avalés. Ensuite, ces aliments passent par l'intestin grêle qui fait un petit tri : **tout ce qui est bon pour toi transite dans ton corps grâce au sang, et le reste est envoyé vers le gros intestin.** C'est là que des milliards de petites bactéries affamées se jettent sur ce contenu : ce qu'elles mangent se transforme en pet et ce qu'elles laissent passer devient des crottes... Voilà pourquoi on fait caca !

Le pipi

Tes deux reins sont des amateurs de ménage : **en filtrant ton sang pour le nettoyer, ils créent le pipi qui est envoyé vers ta vessie.** Deux questions te brûlent les lèvres, n'est-ce-pas ?

POURQUOI LE PIPI EST-IL JAUNE ?

Le pipi est constitué à 96 % d'eau, mais il contient aussi tout ce dont ton corps n'a plus besoin : sel, urée (qui a donné son nom à l'urine), vitamines inutiles ou encore colorant. Et parmi tous ces déchets, l'un donne cette couleur jaune clair. Et tu as remarqué ? Plus tu bois, plus ton urine est claire, et à l'inverse, moins tu bois, plus elle est foncée !

POURQUOI LE PIPI EST-IL CHAUD ?

Certes, il est plus chaud que l'air extérieur, mais en fait, il est à la même température que ton corps, soit 37 °C !

LES RÉCIFS CORALLIENS

Ni plante, ni caillou, le corail est le nom donné à un minuscule animal qui vit en colonies de milliers d'individus : les polypes !

TOUT UN ÉCOSYSTÈME

Les zooxanthelles sont des algues microscopiques qui vivent à l'intérieur du tissu du polype. Elles sont indispensables au développement des coraux. Mais les récifs coralliens procurent aussi de la nourriture et un abri à des milliers d'animaux (plus de 1500 espèces de poissons, 4000 espèces de coquillages, mais encore des tortues et des requins...) formant ainsi un véritable écosystème !

Un drôle d'animal

Appartenant à la famille des anémones de mer, les coraux, créatures au corps mou se construisent une armure de protection en calcaire qu'ils partagent entre eux. Lorsqu'un polype meurt, son squelette de calcaire demeure. Avec les années, les squelettes forment un véritable mur ! En Australie, certaines parties de la Grande barrière de corail ont 18 millions d'années, c'est-à-dire qu'elles sont apparues avant les hommes préhistoriques !

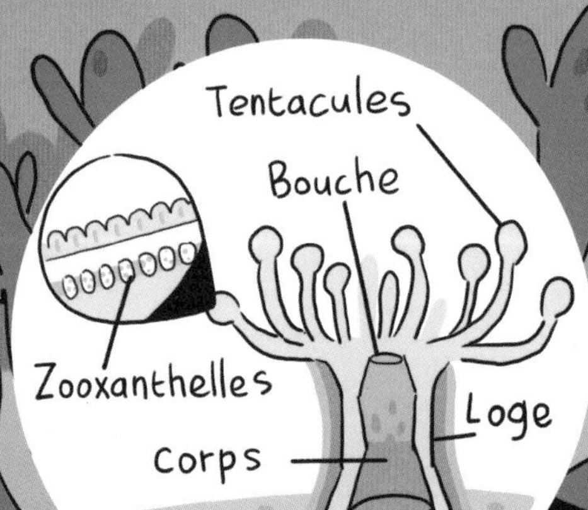

LES TROIS TYPES DE RÉCIFS CORALLIENS

En général, les récifs coralliens se forment autour d'îles volcaniques. Avec l'évolution du volcan, trois types de récifs se succèdent.

LE RÉCIF FRANGEANT longe une terre émergée.

LE RÉCIF BARRIÈRE est séparé d'environ 1 km du littoral par une étendue d'eau. Cette mer intérieure est appelée « lagon ».

L'ATOLL apparaît après des milliers d'années. Lorsque l'île volcanique, rongée par l'érosion, est submergée, les coraux forment un cercle autour du lagon.

Un équilibre fragile

Les colonies de coraux sont aujourd'hui menacées par la pollution des eaux, le réchauffement planétaire, le tourisme, la pêche mais aussi par une étoile de mer dévoreuse de corail ! Les scientifiques cherchent les moyens de sauver les coraux en mettant en place des nurseries de corail, par exemple. Mais il faut au moins une dizaine d'années pour repeupler un récif et construire de nouvelles colonies...

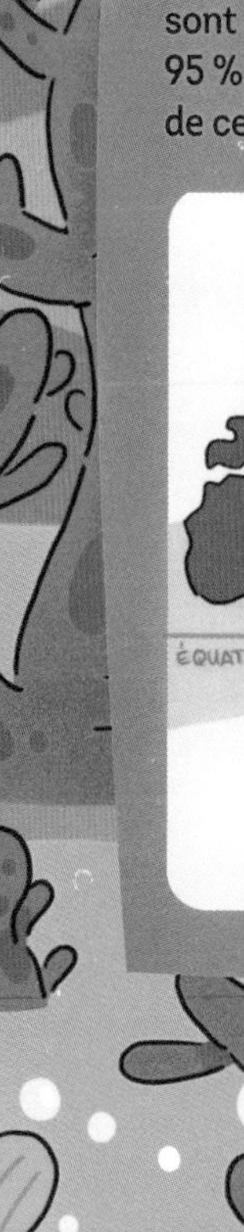

Les récifs coralliens de la France d'outre-mer

Seul pays à abriter des récifs dans les trois océans tropicaux de la planète (l'océan Pacifique, l'océan Atlantique et l'océan Indien), la France d'outre-mer possède l'un des plus grands ensembles de récifs coralliens de la planète. Mieux encore, les lagons de Nouvelle-Calédonie sont délimités par le plus long ensemble corallien continu du monde ! Quand on sait que 95 % de la biodiversité littorale française vit dans ces récifs, on comprend que la protection de ce formidable patrimoine est un enjeu majeur pour la France.

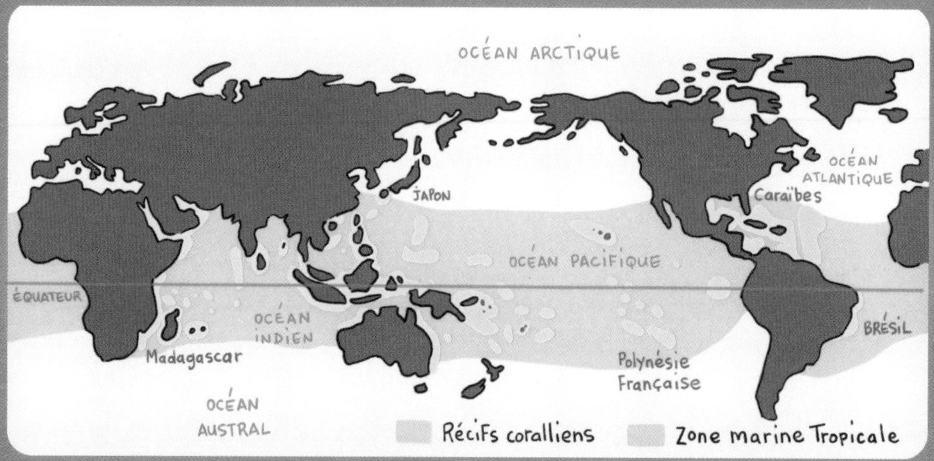

QUIZ CORPS HUMAIN

1. Quel est l'os le plus long du corps humain :
le fémur, le péroné ou le cubitus ?

4. Combien de jours environ le bébé reste-t-il dans le ventre de la maman : 78, 270 ou 412 ?

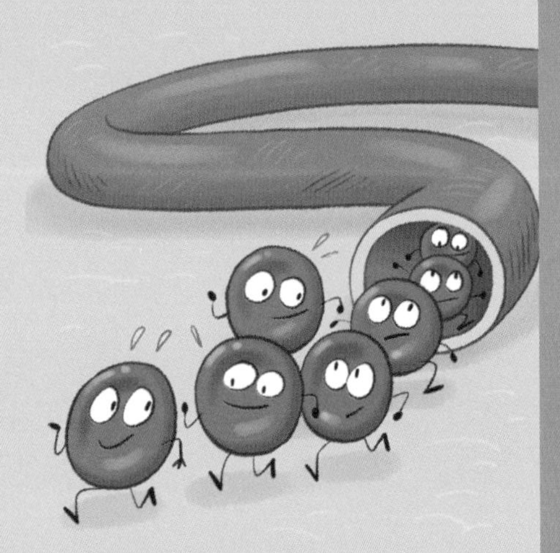

2. Chaque jour dans notre corps, le sang parcourt : 50, 4 000 ou 19 000 km ?

5. Comment appelle-t-on la bosse que les hommes ont dans le cou : la pomme de Bernard, la pomme d'Adam ou la pomme de Michel ?

3. QUELS SONT LES CINQ SENS ?

6. Quel mot, commençant par un A, désigne un gros tuyau dans lequel passe le sang ?

7. Comment les muscles sont-ils attachés aux os : par des crochets, des tendons ou des tendeurs ?

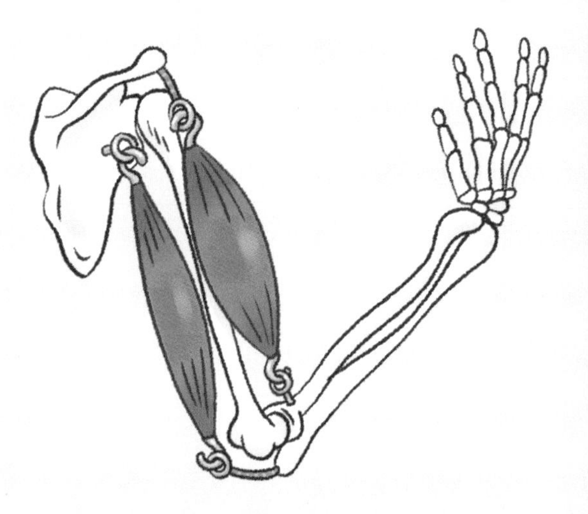

10. Sur quelle partie du corps se trouvent les muscles appelés « biceps » : le bras, la jambe ou le ventre ?

11. VRAI OU FAUX ? L'appendice se trouve au bout de l'intestin grêle.

8. COMBIEN DE DENTS POSSÈDE UN ADULTE ?

9. Quel est le nom du gaz rejeté quand on expire : le dioxyde de carbone, le gaz à bulle ou le charbon monoxydé ?

12. QUEL ORGANE SE REMPLIT D'AIR QUAND ON RESPIRE ?

» SOLUTIONS p. 140

NATURE

Comment les cactus réussissent-ils à pousser dans le désert ?

Contrairement à ce qu'on pourrait penser, le cactus a besoin d'eau. Mais il est bien adapté à l'environnement dans lequel il vit et sait se montrer (très) sobre quand il le faut. Il va chercher l'eau loin dans le sol grâce à ses racines développées, puis il la stocke dans sa tige très épaisse. Il est aussi parfois recouvert d'une sorte de cire qui l'empêche de « transpirer » (mais il sait capter la rosée !).

Le cours d'eau d'une rivière peut-il parfois changer de sens ?

Oui, c'est le cas du Tonlé Sap, une rivière du Cambodge qui se jette dans le Mékong, à la hauteur de la capitale de ce pays, Phnom Penh. Chaque année, un phénomène extraordinaire se produit à cet endroit. En mai, le Mékong, venu de l'Himalaya où la neige a fondu, est tellement puissant que ses eaux font refluer celles du Tonlé Sap. Ces dernières inversent leur cours et remontent vers leur source. Le cours du Tonlé Sap change de nouveau quand le Mékong faiblit, en novembre. Alors le Tonlé Sap recommence à couler vers la mer.

Les éoliennes fonctionnent-elles à l'électricité?

Aujourd'hui et en particulier depuis les années 1990, l'éolienne sert à produire de l'électricité « propre », car cette mécanique, actionnée par le vent, n'utilise aucun carburant, ne crée pas de gaz à effet de serre, ni ne produit aucun déchet (Éole est le nom du dieu grec des Vents). En fait, le principe de l'éolienne est ancien : il y a quelques centaines d'années, les moulins des actuels Pays-Bas servaient à pomper l'eau.

Quel est le plus grand arbre au monde ?

Le séquoia à feuilles d'if est le plus grand arbre au monde (il peut dépasser 100 m de haut). Il pousse en Amérique du Nord, plus précisément en Californie du Nord. C'est un conifère, qui peut vivre au moins 3 000 ans. Cet arbre ne doit pas être confondu avec un autre séquoia, le séquoia géant. Celui-ci est un peu plus petit. Mais l'un des spécimens les plus connus, un arbre surnommé « Général Sherman », qui est âgé d'environ 2 200 ans, fait quand même plus de 83 m de haut !

Quand on parle d'agriculture bio, que veut dire « bio »?

L'agriculture biologique consiste à cultiver des végétaux sans jamais utiliser de produits issus de la chimie de synthèse (engrais, pesticides, etc.).

Pourquoi le ciel est-il bleu ?

Le Soleil émet une lumière blanche, qui est le mélange de toutes les couleurs de l'arc-en-ciel. La lumière voyage sous forme d'ondes de différentes longueurs, et chaque couleur possède sa propre longueur d'onde. Quand elles entrent dans l'atmosphère terrestre, les ondes correspondant au bleu, au vert ou encore au violet sont bien diffusées par les molécules d'eau, les gouttelettes présentes dans cette atmosphère (et non le rouge ou l'orange, par exemple). Ce qui donne au ciel sa teinte généralement bleue.

Quel est l'âge du plus vieil arbre sur terre ?

Pas facile de définir avec exactitude l'âge d'un arbre : celui-ci n'a pas de papiers d'identité ! Selon les connaissances actuelles, le record pourrait être détenu par un épicéa de Suède, qui serait âgé, du moins pour ce qui est de ses racines, de plus de 9 500 ans ! Jusqu'à la découverte de ce spécimen, le record semblait être détenu par un pin Bristlecone. Cet arbre du Nevada, aux États-Unis, dont l'emplacement est tenu secret afin que les curieux ne viennent pas l'abîmer, a plus de 4 800 ans.

À QUOI SERVENT LES FUSEAUX HORAIRES ?

① **Combien de fuseaux horaires la France possède-t-elle ?**
A. 1 B. 2 C. 12

automne

été

hiver

printemps

② **Quelle heure est-il à Pékin quand il est midi à Paris ?**

③ **Quand le système des fuseaux horaires a-t-il été mis en place ?**
A. Au XVe siècle B. Au XIXe siècle
C. Au XXe siècle

POUR MIEUX COMPRENDRE

UN MÉRIDIEN est un demi-cercle qui va du pôle Nord au pôle Sud, donc il est tracé verticalement.

UN PARALLÈLE est un cercle imaginaire d'un côté ou de l'autre de l'équateur, donc il est tracé horizontalement.

Les fuseaux horaires sont des zones de la surface terrestre, allant d'un pôle à l'autre, où l'heure est la même, quelle que soit la position où l'on se trouve par rapport à l'équateur. Parfois, ces fuseaux suivent le tracé de la frontière d'un pays, pour que celui-ci ne possède qu'une seule heure légale.

» SOLUTIONS p. 140

PETITE PLANÈTE FRAGILE

Alerte à l'ozone

Tu sais que dans l'atmosphère que tu respires, il y a de l'oxygène. Auprès du sol, l'oxygène est un gaz dont les molécules sont formées de deux atomes, on le note O_2. À très haute altitude, là où il fait très froid et où la pression est très basse, il y a plutôt de l'oxygène sous forme O_3, avec trois atomes : on l'appelle « l'ozone ». Cette « couche d'ozone » nous protège de certains rayonnements du soleil, particulièrement la plus grande partie des ultraviolets. Mais on s'est rendu compte que l'utilisation de certains gaz dans l'industrie humaine fragilisait cette couche protectrice. Les scientifiques la surveillent attentivement et tirent parfois la sonnette d'alarme ! Les conférences sur le climat sont, entre autres, destinées à trouver le moyen de conserver cette couche d'ozone indispensable en interdisant ou en limitant l'utilisation de certains produits.

VRAI OU FAUX ?

À basse altitude, l'ozone est un polluant.

» SOLUTION p. 140

ATTENTION, MARÉE NOIRE !

Le pétrole voyage des pays qui en produisent vers ceux qui vont le transformer en essence ou l'utiliser en chimie. Il est transporté dans des navires de plus en plus gros que l'on appelle des pétroliers. Lorsqu'un pétrolier a un accident, à cause d'une tempête ou d'une collision, ses cuves peuvent se briser et leur contenu se répandre sur la mer. C'est la marée noire. Le pétrole flotte sur l'eau, empêchant l'oxygénation de la surface, asphyxiant les poissons. Quant aux oiseaux, ils se retrouvent couverts de cette matière noire et gluante lorsqu'ils essayent de pêcher. C'est une véritable catastrophe écologique.

L'odeur de l'ozone

L'ozone peut apparaître dans les couches basses de l'atmosphère pour des raisons naturelles : incendie de forêt ou orage. L'arc électrique de l'éclair force l'oxygène de l'air à se recombiner sous forme d'ozone. On peut en sentir l'odeur même s'il est présent à de très faibles concentrations. Tu peux faire l'expérience en reniflant le bout de l'allume-gaz juste après l'avoir actionné, ce n'est pas dangereux !

DÉVELOPPEMENT DURABLE

Stocks limités !

Une grande partie de l'énergie utilisée par les hommes pour se chauffer, produire de l'électricité ou faire fonctionner leurs voitures vient du **pétrole**. Comme le **charbon**, le pétrole est une **énergie fossile**, c'est-à-dire qu'il provient de la décomposition et de la transformation de matières organiques au cours des **millénaires**. Nous puisons dans les réserves, mais il faut tellement de temps et de phénomènes géologiques pour que le pétrole se fasse qu'il s'agit d'une **énergie non renouvelable** : quand il n'y en aura plus, il faudra utiliser autre chose ! Par ailleurs, le pétrole est aussi utilisé dans l'industrie chimique qui s'en sert pour synthétiser des tissus, des matières plastiques ou même des médicaments. Il ne faut donc pas tout brûler ! Il est très difficile d'estimer les réserves existantes, car on trouve de nouveaux gisements ou de nouvelles techniques d'extraction tous les jours. Il est donc tout aussi difficile d'estimer pour **combien de temps** on dispose encore de cette énergie « facile ». Pour vingt ans ? trente ans ? quarante ans ? cent ans ? Quelle que soit la réponse, les scientifiques cherchent déjà comment trouver de nouvelles sources d'énergie.

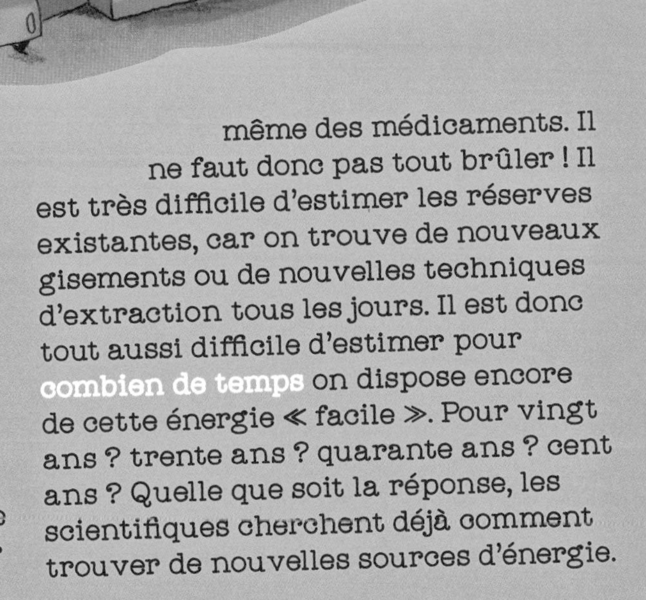

PROTÉGER NOTRE PLANÈTE

L'humanité va continuer à se **développer**.
Et c'est tant mieux, car il y a encore trop d'endroits où l'on ne mange pas à sa faim, où l'on n'a pas accès à l'instruction, où l'on n'a pas l'eau courante...
Mais on sait aujourd'hui que ce développement a des **conséquences** parfois très graves sur l'environnement et sur toute la planète : inquiétudes pour la couche d'ozone, réchauffement climatique, montée du niveau des mers ou pollution.

Le **développement durable** est une façon de continuer à se développer tout en tenant compte de tous les problèmes de l'**environnement** et de l'**écologie**. L'eau, l'air, les végétaux ou les animaux, tout ce qui nous fait vivre doit être **protégé** afin que les générations futures puissent profiter de notre jolie petite **planète bleue**.

VRAI OU FAUX ?

Les éoliennes permettent de fabriquer de l'électricité grâce au vent.

» SOLUTION p. 140

EXPÉRIENCES

AIR EN BOUTEILLE

Expérience 1

Gonfle le ballon et ferme-le avec la pince à linge. Enfile le bout du ballon sur le goulot de la bouteille et enlève la pince à linge.
Le ballon se dégonfle à peine, puis se stabilise !

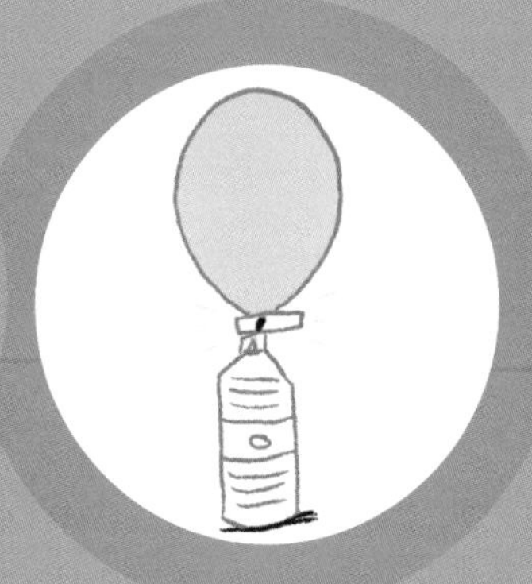

Expérience 2

Retire le ballon et enfile-le dans la bouteille.
Essaye de le regonfler : il n'y a rien à faire !
Perce un petit trou dans le fond de la bouteille avec le tire-bouchon.

MATÉRIEL

- 1 ballon de baudruche
- 1 pince à linge
- 1 bouteille en plastique
- 1 tire-bouchon (ou une vrille)

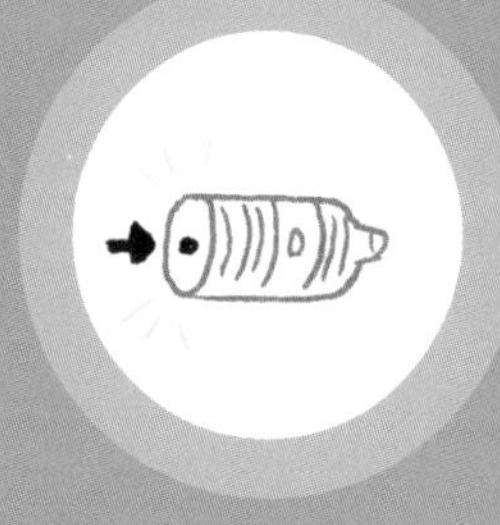

MAINTENANT, TU PEUX GONFLER LE BALLON !

POUR COMPRENDRE

Bien que tu ne puisses ni le voir, ni le toucher, l'air est une matière !
Dans la première expérience, la pression de l'air dans la bouteille s'équilibre avec celle de l'air du ballon. Dans la seconde expérience, il faudrait comprimer l'air de la bouteille pour laisser le ballon se gonfler et ton souffle n'en a pas la force ! Dès que tu as fait un petit trou, l'air peut s'échapper de la bouteille et laisser la place au ballon.

L'ASPIRATEUR D'EAU

MATÉRIEL

- 1 verre
- 1 assiette remplie d'eau
- 1 bougie chauffe-plat
- 1 clé plate (ou 1 pièce de monnaie)

POUR RÉCUPÉRER LA CLÉ SANS TE MOUILLER LES DOIGTS, RIEN DE PLUS SIMPLE !

1 Dans l'assiette remplie d'eau, dépose la clé (elle doit être complètement immergée) et la bougie chauffe-plat.

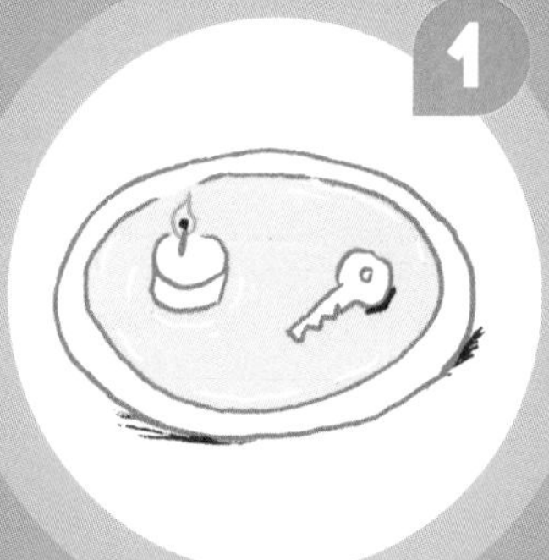

2 Retourne un verre sur la bougie.

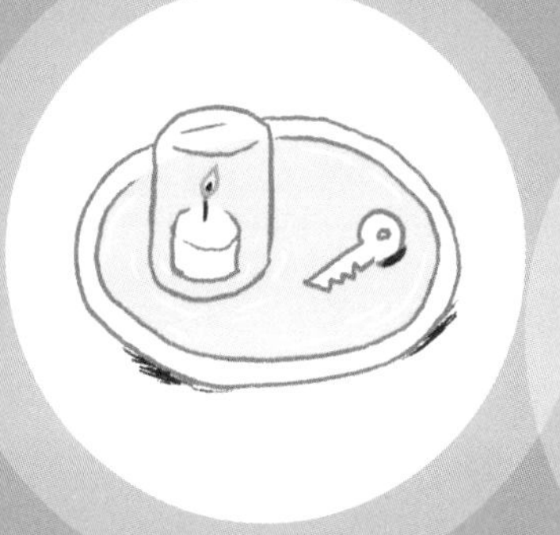

3 Au bout de quelques secondes, la bougie s'éteint et l'eau monte à l'intérieur du verre.

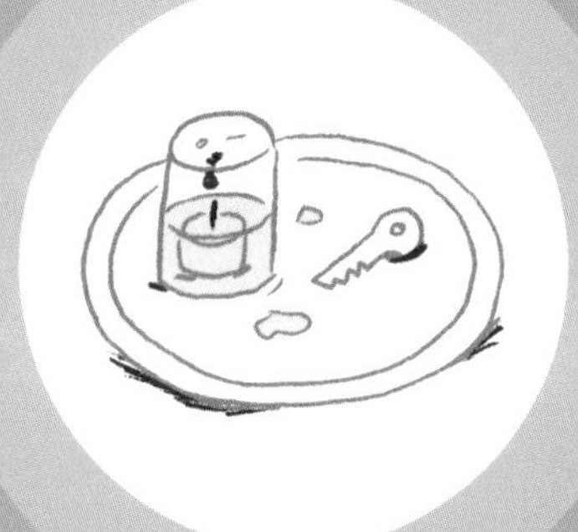

4 TU N'AS PLUS QU'À RÉCUPÉRER LA CLÉ QUI N'EST PLUS DANS L'EAU !

POUR COMPRENDRE

La bougie, en brûlant, consomme l'oxygène emprisonné dans le verre. Lorsqu'elle s'éteint, l'air refroidit et sa pression diminue. L'eau est alors aspirée dans le verre. Plus le verre est étroit et haut, plus l'expérience est spectaculaire !

JEUX HISTOIRE DE FRANCE

Les joies du camping

En 1936, les Français ont découvert les congés payés. Trouve les sept différences entre ces deux scènes de camping en famille.

QUASIMODO

Utilise le code pour remplir la grille, et tu trouveras le titre que Victor Hugo a donné à l'une de ses œuvres.

PAR ICI LA SORTIE !

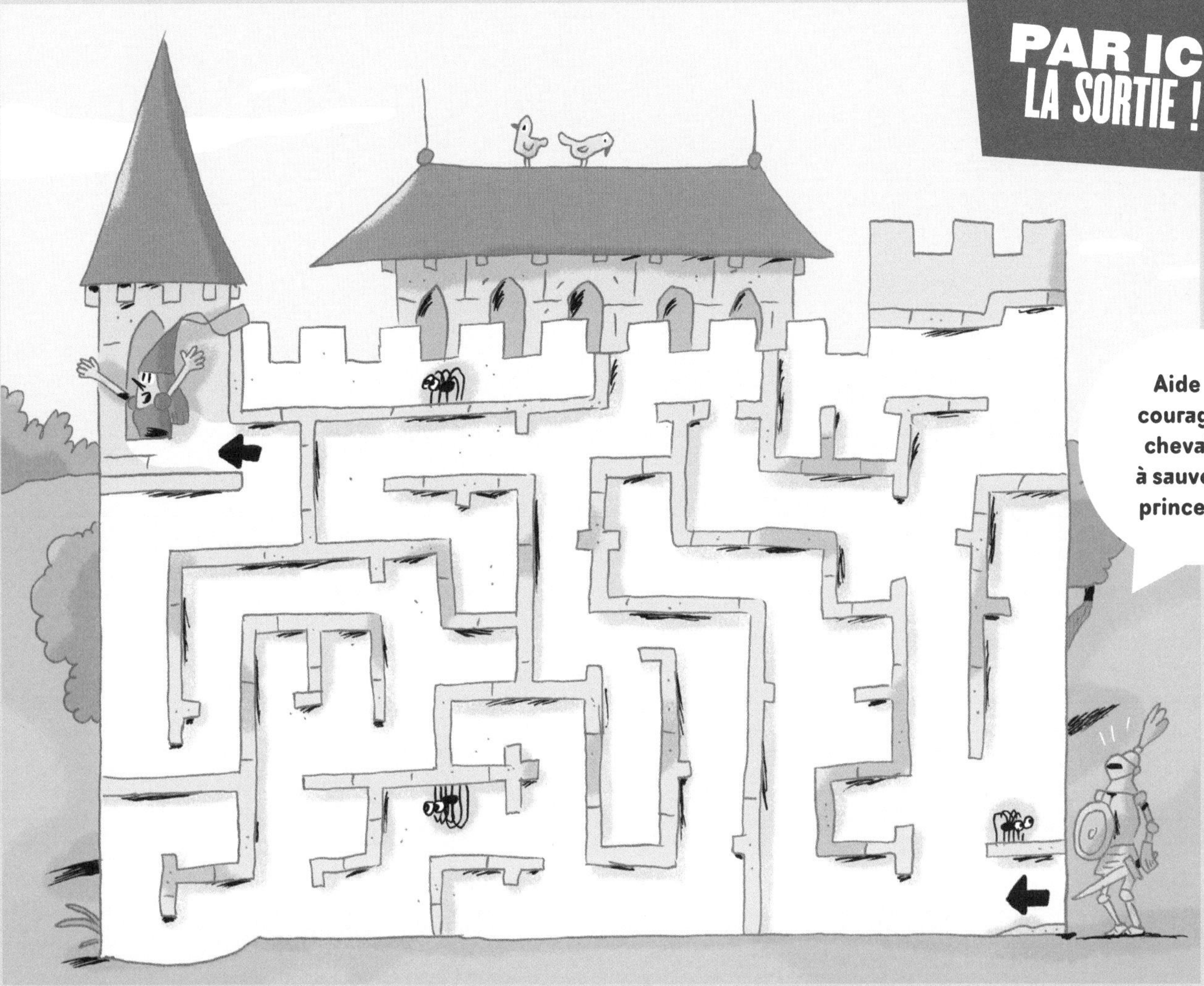

Aide ce courageux chevalier à sauver sa princesse.

Les jumeaux légionnaires

Trouve les sept différences entre ces deux légionnaires.

» SOLUTIONS p. 140

Léonard de Vinci

INGÉNIEUR DE GÉNIE

Tu connais déjà le nom de Léonard de Vinci. Pour toi, c'est le peintre qui a réalisé la célèbre *Joconde* que l'on peut admirer au musée du Louvre à Paris. Mais il n'était pas seulement peintre, loin de là !

Le petit Léonard naît en 1452 près de Vinci, en Toscane, une province d'Italie. Il est élevé successivement par sa mère, par son père, puis par l'un de ses oncles. Il reçoit une éducation très libre, solide, mais insuffisante pour prétendre entrer à l'université. Il manifeste très tôt un **talent artistique** certain et un goût immodéré pour les **expériences** et les **techniques**.

Curieux de tout, il réalise de nombreux croquis de ce qui l'entoure et de ses observations de la nature. Son père, incapable de juger si Léonard a du talent, montre ses croquis à un ami. Cet ami, Andrea del Verrocchio, est à la tête d'un atelier d'art très célèbre en Toscane. Sidéré par la qualité des dessins de Léonard, Andrea intègre le jeune homme de 17 ans à son atelier.

UNE SOLIDE FORMATION ARTISTIQUE

Chez Andrea, le jeune Léonard va non seulement se perfectionner au dessin et à la peinture, mais il va apprendre aussi la sculpture, l'orfèvrerie, la forge ou la fonderie. Il acquiert des bases de **chimie** et de mécanique, qui le passionnent. Quelques années plus tard, son père lui finance son propre atelier, mais Léonard continuera à collaborer régulièrement avec son ancien maître.

Comme tous les artistes de la **Renaissance**, il doit trouver des mécènes pour lui passer commande et financer ses œuvres. **Laurent de Médicis** l'envoie à Milan, auprès de **Ludovic Sforza**. Ses connaissances techniques et architecturales et son rôle d'ingénieur sont particulièrement sollicités. Il ne cesse d'inventer ou d'améliorer des machines à but civil ou, le plus souvent, à but militaire.

Si certains de ses croquis deviennent réalité, comme un projet de scaphandre pour défendre Venise, la plupart ne seront jamais réalisés, faute de moyens techniques ou de matériaux adaptés qui ne seront découverts que plus tard. Du sous-marin au parachute, de l'avion à l'hélicoptère, Léonard de Vinci avait tout imaginé !

D'INCROYABLES CARNETS

De Médicis à Sforza, en passant par César Borgia, les **mécènes** de Léonard se succèdent. Mais c'est auprès de François Ier, en France, qu'il passe les dernières années de sa vie. Dans ses bagages, il a apporté quelques-unes de ses toiles, dont… la *Joconde*. Alors qu'en Italie, c'est toujours en tant qu'ingénieur que Léonard était engagé, le roi de France apprécie surtout ses talents de peintre et le considère aussi comme un véritable philosophe. C'est en France que Léonard meurt en 1519, au château du Clos Lucé, près d'Amboise. Une quinzaine de ses œuvres seulement sont parvenues jusqu'à nous. Mais ses milliers de ***Carnets*** fourmillent de croquis d'inventions, d'observations sur la nature, de réflexions sur l'espace, d'études d'anatomie ou de calculs savants, en passant par quelques remarques philosophiques ou même des poèmes et de la musique ! Une des particularités les plus curieuses de ses carnets réside dans la façon dont Léonard écrivait, de la main gauche et en miroir ! Léonard de Vinci reste pour tous et pour toujours l'un des plus grands génies de tous les temps, à la fois comme artiste et comme scientifique !

EST-CE BIEN LOGIQUE ?

Certains problèmes ont l'air d'avoir été inventés pour rendre fou ! D'autres sont tout simples si on ne se laisse pas prendre au piège...

CASSE-TÊTE

Manon est sur le point d'acheter des perles, puis elle repère une très jolie boîte pour les ranger. Comme il y a 18 euros de différence entre le prix des perles et le prix de la boîte, elle se décide à l'acheter. Elle passe en caisse et paye 20 euros.

COMBIEN COÛTENT LES PERLES ?

COMBIEN COÛTE LA BOÎTE ?

Avant de répondre trop vite, vérifie que la différence entre les deux prix auxquels tu penses est de 18 euros !

Dans l'Antiquité, un Crétois nommé Épiménide a déclaré :

« Tous les Crétois sont des menteurs. »

Alors, puisqu'il est crétois, il ment !
Mais alors, s'il ment, il est faux que tous les Crétois sont des menteurs. Alors peut-être dit-il la vérité ?
Mais s'il dit la vérité, tous les Crétois sont des menteurs, donc il ment, donc tous les Crétois ne sont pas des menteurs, donc peut-être ne ment-il pas, mais alors...

Ce casse-tête est un paradoxe logique.

PENSER AUTREMENT :
ALLUMETTES INTIMES

Pose quatre allumettes sur une table. Tu vas d'abord montrer qu'il est facile d'en disposer trois pour que chacune touche les deux autres. Laisse toutes les allumettes au contact de la table et demande à un(e) ami(e) d'en disposer quatre de telle sorte que chacune touche les trois autres.

COMMENT FAIRE ?

Tu as laissé les allumettes sur la table pour que tes copains ne songent pas à la solution qui consiste à poser la quatrième allumette sur les trois premières. Il faut penser en trois dimensions : au niveau de la seule surface de la table, c'est impossible !

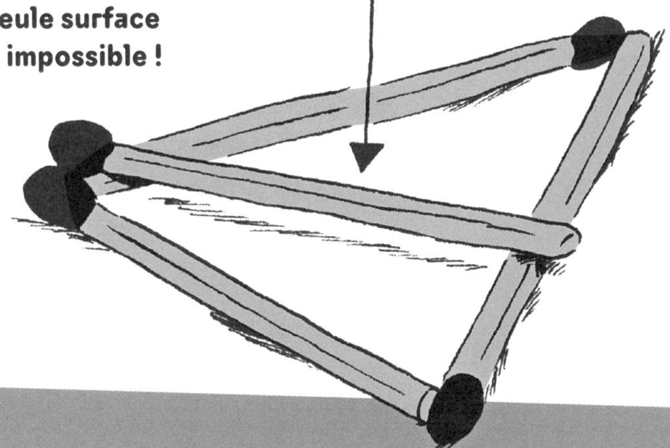

» SOLUTIONS p. 140

PASSION ANIMAUX

L'éléphant sait-il nager ?

Malgré son poids, l'éléphant peut nager ! Pour avancer, il bouge les pattes comme un chien. Il peut même nager sous l'eau grâce à sa trompe qu'il laisse à la surface pour respirer.

Qu'y a-t-il à l'intérieur des bosses du chameau ?

Contrairement à ce que l'on croit habituellement, les bosses du chameau ne sont pas des réservoirs d'eau. Elles constituent des réserves de graisse. Lorsque l'animal ne peut pas manger à sa faim (ce qui arrive souvent dans des déserts), son corps puise ce dont il a besoin dans ces réservoirs, qui accumulent chacun 11 à 12 kg de graisse. Le chameau peut ainsi survivre plusieurs jours, sans aucun problème. L'animal reconstitue ces réserves lorsque, enfin, il trouve des végétaux à consommer.

Pourquoi le koala ne boit-il (presque) jamais ?

Le koala se nourrit exclusivement de feuilles d'eucalyptus. En principe, l'eau contenue dans ces feuilles suffit à le désaltérer. Selon la langue des aborigènes d'Australie, le nom de cet animal à fourrure signifie « qui ne boit pas ». Reste que, en cas de très forte chaleur, cette petite bête peut cependant éprouver le besoin de boire de la « vraie » eau !

Existe-t-il encore des animaux inconnus ?

Oui, bien sûr. Et même beaucoup : au moins plusieurs centaines de milliers – et il faudra sans doute des centaines d'années pour en dresser le catalogue ! Car la très grande majorité des espèces animales reste encore à découvrir ! En d'autres termes, il y a bien plus d'espèces encore inconnues que d'espèces connues à ce jour. La faune qui vit dans les profondeurs des océans (crustacés, mollusques, poissons, etc.) en particulier est mal connue. De même que celle des profondes forêts d'Amérique du Sud et d'Afrique. En Asie du Sud-Est vivent aussi sans doute plusieurs espèces de mammifères non encore répertoriés.

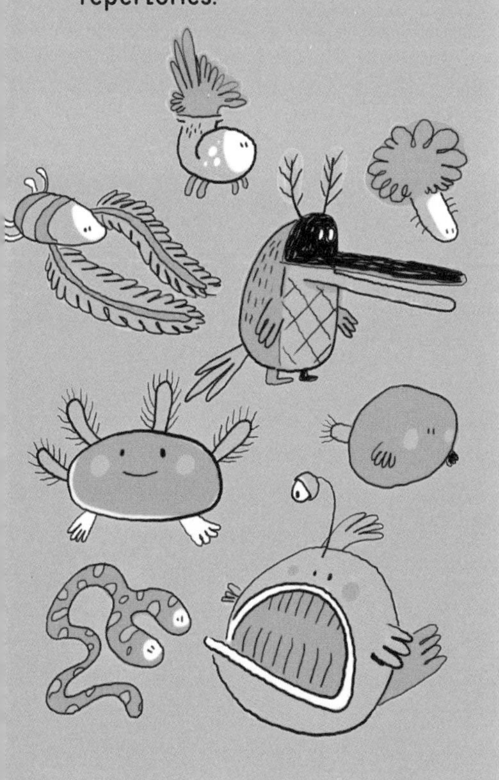

L'éponge est-elle un animal ?

Oui, l'éponge est bien un animal ! Mais un animal très simple qui n'a ni bouche, ni sexe, ni appareil respiratoire. Pour se nourrir, elle filtre l'eau et garde les petits débris qui constitueront son repas.

Pourquoi appelle-t-on aussi le lamantin « vache de mer » ?

Parce que ce mammifère passe une grande partie de son temps à brouter des algues, comme une vache dans un pré. Le lamantin consacre 6 à 8 heures de sa journée à manger les racines, les tiges et les feuilles de plantes aquatiques. Or, cette nourriture avalée en quantité (plusieurs dizaines de kilos par jour !) est abrasive, c'est-à-dire qu'elle use les dents du lamantin. Heureusement pour l'animal, celles-ci se renouvellent en permanence.

Pourquoi le lama crache-t-il ?

Quand les lamas sont énervés, ils rabattent leurs oreilles en arrière, puis ils crachent. Mais, si les lamas se crachent dessus entre eux, ils le font rarement sur les êtres humains – heureusement !

LE PETIT SCIENTIFIQUE

UNE HISTOIRE DE COURANT !

As-tu remarqué ? Lorsque tu caresses un chat, tu ressens des petits picotements au bout de tes doigts, ses poils se dressent et cela peut faire du bruit. Même tes cheveux peuvent se dresser sur ta tête… Étrange ? Pas tant que ça ! Le frottement arrache de très petites particules et modifie la charge électrique des poils de ton chat ou de tes cheveux. Quand ta main approche, ça provoque comme un petit courant qu'on appelle « décharge électrique » !

LA PETITE EXPÉRIENCE À TENTER !
Gonfle un ballon de baudruche et fais un nœud à l'extrémité. Frotte ce ballon contre tes cheveux… Miracle, tes cheveux volent !

MATÉRIEL

- **1 ballon de baudruche**

MATÉRIEL

- **4 aliments différents** : 1 morceau de pomme, un tout petit peu de moutarde, 1 morceau de carotte crue, du beurre, 1 morceau de cannelle, 1 morceau de fromage… À toi de voir ce qu'il y a dans les placards.
- **1 bandeau**
- **1 cobaye** : un ami, ta petite sœur, ton grand-père… Peu importe !

Test de goût

>>> Bande les yeux de ton cobaye et explique-lui que tu vas lui faire goûter des aliments. Il va devoir trouver de quoi il s'agit. Si c'est trop facile, tu peux corser un peu l'affaire en lui demandant de se boucher le nez !
LÀ, ÇA DEVIENT UN VÉRITABLE EXPLOIT DE DEVINER…

ÇA PULSE EN TOI !

Tu sais que ton cœur bat, pas de souci, mais as-tu déjà essayé de sentir ce que cela faisait dans ton corps ? C'est le moment de vérifier que ton cœur bat et de prendre ce qu'on appelle le « pouls ».

MATÉRIEL

- 1 chronomètre ou 1 montre

EXPÉRIENCE FACILE

Place une main sous ton sein gauche au niveau du cœur.

EXPÉRIENCE PLUS DIFFICILE

Place deux doigts au niveau d'une amygdale sur ton cou.

EXPÉRIENCE EXPERT

Place trois doigts à l'intérieur de ton poignet, juste en dessous du pouce. À l'aide de ta montre ou de ton chrono, compte combien tu sens de pulsations en 1 minute. Au repos, ton rythme cardiaque se situe entre 60 et 80 pulsations par minute. Si tu ne trouves pas ça, recommence !

Qu'est-ce qui se passerait si… on n'avait pas de calcium dans les os ?

MATÉRIEL

- 1 os de poulet (cuit, froid et propre)
- 1 bocal ou un bol
- du vinaigre blanc

Nos os sont durs parce qu'ils contiennent du calcium. Mais imagine ce qu'ils seraient s'ils n'avaient plus de calcium ? Pour comprendre, laisse tremper l'os de poulet plusieurs jours dans le vinaigre blanc. Celui-ci va éliminer le calcium et rendre l'os tout mou…

CONCLUSION : HEUREUSEMENT QU'ON A DU CALCIUM DANS NOS OS, SINON, ON NE TIENDRAIT PAS DEBOUT !

D'OÙ VIENS-TU ?

« DIS MAMAN, COMMENT ON FAIT LES BÉBÉS ? »

Cette question est sans doute sortie de la bouche de tous les enfants, y compris de la tienne quand tu étais plus petit !
Et souvent la réaction des parents est la même « Ah... hum... oui, alors... comment expliquer... on verra ça demain, hein ! »

IL EST GRAND TEMPS DE TOUT TE RÉVÉLER : D'OÙ TU VIENS ET COMMENT TU DEVIENS QUI TU ES !

UNE AFFAIRE DE CELLULES

Nous naissons tous de deux cellules dites « reproductrices » : une cellule de notre père et une cellule de notre mère. Lorsque ces deux cellules se réunissent, elles forment ensemble une nouvelle cellule : celle qui va devenir un être humain.

Ok, mais qui fait quoi dans tout ça ?

Le papa fabrique les spermatozoïdes dans ses testicules.
La maman possède des ovaires qui libèrent leurs cellules reproductrices ou ovules.

Et ça donne quoi ?

Lorsque le spermatozoïde de l'homme rencontre l'ovule de la femme, hop, il entre dedans. Le résultat ? Un ovule « fertilisé » prêt à se développer. Cet ovule se dirige ensuite vers l'utérus, une grande poche élastique dans le ventre de la maman, se divise et fabrique de plus en plus de cellules. Ces cellules forment petit à petit les différentes parties du corps humain.

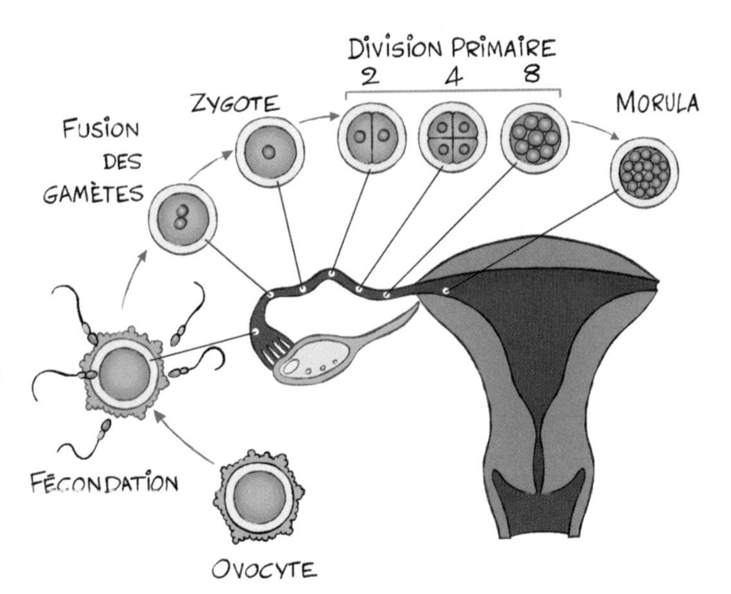

Petit à petit, car ça prend 9 mois pour que le bébé soit prêt à sortir !

Le truc fou

Tu es fait d'environ 100 000 000 000 000 (100 mille milliards) de cellules !
Autant dire que tu ne pourras jamais essayer de les dénombrer, car figure-toi qu'il te faudrait déjà au moins 31 ans pour compter à haute voix jusqu'à un seul petit milliard...

En tout, ton corps possède plus de 200 types de cellules. Elles sont si petites qu'il faut un microscope pour les voir.

Qu'en est-il de nos amies les bêtes ?

Beaucoup d'animaux ont également besoin de deux cellules pour se reproduire : une cellule issue du mâle et une cellule issue de la femelle. Mais il existe aussi des animaux, comme certains reptiles ou poissons, l'abeille ou le puceron, qui peuvent se reproduire sans la cellule mâle. C'est la femelle qui fait tout le travail !

T'es-tu déjà demandé comment tu deviens ce que tu es ?

La couleur de tes cheveux, de ta peau, ta façon de marcher, la taille de ton visage, tes traits, ton physique... Toutes ces particularités génétiques t'appartiennent et, bien qu'il y ait environ 7 milliards d'humains sur terre, **tu es unique** !
Tes parents t'ont transmis un mélange de leurs propres gènes, c'est pourquoi tu leur ressembles quand même un peu !
Mais tu n'es pas la personne que tu es uniquement grâce à tes gènes : ton expérience, ce que tu apprends, ce que tu vis... tout cela est aussi très important ! Par exemple, ton alimentation ou le climat sous lequel tu vis s'ajoutent à toutes tes caractéristiques génétiques pour façonner ta personne.
En une phrase : tu es un mélange de tes gènes et de tes expériences !

PETITS PROBLÈMES DE LOGIQUE

Ils semblent tout simples quand on en connaît la solution, mais quand tu les auras bien mémorisés, amuse-toi à poser ces problèmes autour de toi. Tu verras que même les adultes « sèchent » !

LES SEAUX QUI RENDENT FOU

Pour réaliser une expérience délicate, tu dois verser exactement 4 litres d'eau **en une seule fois** dans une bonbonne. Mais tu ne disposes que d'un robinet et de deux seaux : l'un de 3 litres et l'autre de 5 litres.

COMMENT VAS-TU T'Y PRENDRE ?

COMMENT FAIRE ?

1. **Remplis le grand seau de 5 l d'eau au robinet.**
2. **Quand il est plein, verse l'eau du grand seau dans le petit seau jusqu'à ce que le seau soit plein. Dans le grand seau, il te reste 5 l – 3 l = 2 l d'eau.**
3. **Vide le petit seau. Verse les 2 l d'eau qui restent dans le grand seau dans le petit seau.**
4. **Remplis de nouveau le grand seau au robinet, puis verse de l'eau dans le petit seau jusqu'à ce qu'il soit plein à ras bord.**

Puisqu'il contient déjà 2 l d'eau, tu viens d'en ajouter 1 l.

Il te reste donc exactement 4 l d'eau dans le grand seau, que tu peux verser dans la bonbonne !

LA LIGNE CONTINUE

Sur une grande feuille de papier, trace un grand A entouré d'un cercle. Puis trace un grand B un peu plus loin. Annonce que tu vas tracer une ligne continue de A à B sans couper le cercle !

COMMENT FAIRE ?

Tu as promis de tracer une ligne continue, mais tu n'as pas précisé qu'elle serait sur le papier !

Pose un doigt sur le A, un autre sur le B pour créer un pont entre les deux lettres. Il ne te reste plus qu'à tracer la ligne continue sur ta main !

LES FRÈRES

Anaïs a deux frères, Quentin et Noé. Quentin et Noé sont nés le même jour, à la même heure, de la même maman, et pourtant, ce ne sont pas des jumeaux.

COMMENT EST-CE POSSIBLE ?

» SOLUTION p. 140

LE CHEMIN DE CHRISTOPHE COLOMB

Une vocation née dans l'enfance

Christophe Colomb est né en 1451 à Gênes, une ville portuaire en Italie. Christophe Colomb découvre avec émerveillement le périple entre terre et mer qui mena Marco Polo jusqu'en Asie, raconté dans *Le livre des Merveilles*. Dès lors, il rêve de suivre une route entièrement maritime, à l'Est, pour rejoindre les Indes orientales par la mer.

TERRE À L'HORIZON ! 12 OCTOBRE 1492

Après 71 jours de traversée, Christophe Colomb et son équipage accostent enfin sur la terre ferme ! Pensant être arrivé au Japon, Christophe Colomb vient en réalité de découvrir la première terre des Amériques, l'île de Guanahani, dans l'archipel des Bahamas. Mais il ne saura jamais qu'il a découvert un nouveau continent. Amerigo Vespucci sera le premier à le comprendre et donnera son prénom à l'Amérique !

OCEAN ATLANTIQU

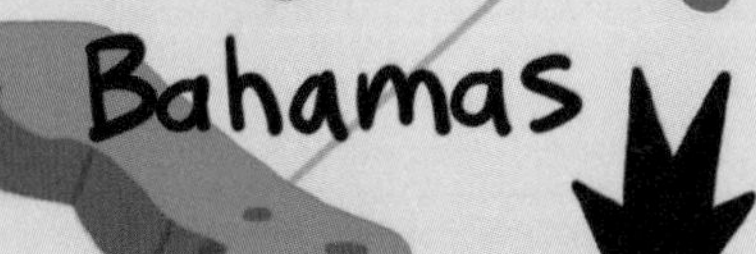

Bahamas

24 SEPTEMBRE 1492

« Plus les jours passent, plus la peur des marins grandit ainsi que les murmures. »

(Extrait du journal de bord de Christophe Colomb)

N O E S

CHANGEMENT DE CAP !

En 1476, Christophe Colomb rejoint son frère, Bartolomeo, cartographe à Lisbonne, au Portugal. Comme il est persuadé que la Terre est ronde, il a l'idée de naviguer vers l'Ouest et de traverser l'océan Atlantique pour rejoindre l'Asie. En effet, à cette époque, on pense que le monde est bien plus petit qu'il ne l'est réellement. Aucun explorateur européen ne soupçonne alors l'existence du continent américain...

Un projet très coûteux

Pour réaliser son projet, Christophe Colomb demande une aide financière. Le roi du Portugal et la reine Isabelle d'Espagne refusent. Mais Christophe Colomb est obstiné. Au bout de sept années, il parvient à convaincre la reine Isabelle de l'aider ! Le roi d'Espagne met alors à la disposition du navigateur trois navires : la *Santa Maria*, la *Pinta* et la *Niña*, ainsi qu'un équipage de 90 marins.

TOP DÉPART !

3 AOÛT 1492

Christophe Colomb lève l'ancre depuis Palos de la Frontera, un port espagnol en bordure de l'océan Atlantique. Depuis la petite cabine de la *Santa Maria*, le navigateur commence l'écriture de son journal de bord.

Les semaines se succèdent sans qu'aucune terre ne soit en vue...

Le voyage semble sans fin. Perdu dans l'immensité de l'océan, l'équipage est terrorisé. Mais Christophe Colomb est bien décidé à poursuivre son projet.

HUMAIN (QUELLE DRÔLE DE BÊTE !)

Pourquoi dit-on que manger du poisson rend intelligent ?

On a longtemps cru que c'était parce que le poisson est riche en phosphore. Mais, en fait, cet élément est présent dans de nombreux autres aliments : par exemple, les œufs, les fruits secs, les lentilles, le soja, les produits laitiers, etc. Si le poisson, surtout celui qui vit dans les mers froides, est bon pour le cerveau, c'est sans doute parce qu'il contient des oméga-3, des acides gras dont l'organisme en général, et le cerveau en particulier, a grand besoin.

L'intelligence dépend-elle de la taille du cerveau ?

Pas du tout ! L'intelligence dépend, pour schématiser, du nombre de connexions reliant entre eux les neurones (cellules nerveuses). Le poids du cerveau ne fait rien à l'affaire. Par exemple, celui d'Albert Einstein, un des scientifiques les plus brillants de tous les temps, était plus petit que la moyenne. De même, le cerveau de l'écrivain Anatole France ne pesait guère plus de 1 kg, alors que le poids moyen d'un tel organe est, en principe, d'un peu plus de 1,3 kg.

Combien de temps passe-t-on à dormir, en moyenne, au cours de sa vie ?

Environ un tiers de sa vie. Tous les êtres humains ne sont pas égaux en ce qui concerne le sommeil. Certains ont besoin de beaucoup dormir (jusqu'à 10 h). D'autres se contentent d'un sommeil de 5 à 6 h et ne sont ni fatigués ni somnolents pour autant. En moyenne, une personne dort 115 jours par an.

Quel est le prénom masculin le plus répandu dans le monde ?

Mohammed. Mohammed est le Prophète, le fondateur de l'islam, qui est la seconde religion au monde en ce qui concerne le nombre d'adeptes. Selon les pays et les époques, ce prénom présente un grand nombre de variantes (autrefois, en France, Mohammed se disait « Mahomet »). Par exemple : Mamadou, Mamoudou, Mehmed, Mehmet, Mohammad, Mouhamed, Muhammad, etc.

Pourquoi les hommes ont-ils une pomme d'Adam ?

En fait, les femmes et les hommes ont tous une petite bosse en haut de la gorge. Mais ce renflement fait de cartilage est plus prononcé chez l'homme. Lors de la puberté, le garçon produit de la testostérone de façon bien plus importante que l'adolescente. Cette hormone commande alors à certaines parties du corps de se développer, comme la pomme d'Adam. Cela augmente la dimension des cordes vocales et donne au garçon une voix grave.

Devant quoi les Français passent-ils en moyenne 3 h 46 chaque jour ?

La télévision ! Les premiers essais de télévision datent de la fin du XIXe siècle. Mais, en France, il a fallu attendre les années 1930 pour que les premières émissions soient diffusées. Dans les années 1960, le poste de télévision a commencé à s'installer dans la plupart des foyers de l'Hexagone. En 2013, plus de 98 % des familles françaises en possédaient au moins un, majoritairement doté d'un écran plat.

À l'origine, dans quel but les Chinois utilisaient-ils la brouette ?

La brouette a été inventée par les Chinois, sans doute au Ier siècle avant J.-C. Elle était alors utilisée en temps de guerre, pour transporter plusieurs soldats en même temps, assis dos contre dos, ou bien lors du ravitaillement. Vide, elle permettait également à un militaire de se protéger derrière elle en cas d'attaque. Selon l'époque, la brouette chinoise a été munie d'une ou de deux roues. Elle était aussi parfois équipée d'une voile permettant à l'engin de rouler sur une route ou sur une surface gelée, à une vitesse pouvant atteindre 60 km/h !

De Pasteur à Fleming

Pour découvrir les « microbes », il a fallu d'abord croire à leur existence et la prouver. Les scientifiques n'ont pas attendu de les voir au microscope pour comprendre que certains d'entre eux rendaient malades et pour chercher les moyens de les combattre.

Louis Pasteur, né en 1822, a fait de brillantes études de physique et de chimie. À 25 ans, il est professeur d'université et ses travaux lui valent déjà une certaine notoriété. À 40 ans, il est élu à l'Académie des Sciences.

En ce milieu de XIXe siècle, nombreux sont ceux qui croient à la **génération spontanée**, c'est-à-dire à l'apparition d'un phénomène nouveau lorsque l'on met ensemble les bons ingrédients. Par exemple, un grenier bien sec et des sacs de blé font « apparaître »... des souris.

CONTRE LA « GÉNÉRATION SPONTANÉE »

Pasteur, lui, adhère à la thèse selon laquelle les **maladies** sont transmises par des **micro-organismes**. Comme ces « microbes » sont invisibles, il n'est pas facile de prouver leur existence ! Pasteur s'intéresse aux phénomènes de **fermentation**, étudie la transmission des maladies et cherche des moyens de se débarrasser des « microbes » indésirables. En Angleterre, les travaux de **Jenner** ont prouvé qu'en mettant une personne en contact avec une vache malade de **vaccine**, on obtenait une **immunité** contre la variole, une maladie grave

qui faisait des ravages mortels.
En analysant différentes maladies de plantes ou d'animaux, Pasteur étudie ce phénomène de « **vaccination** », qui va donner son nom à un procédé bien connu aujourd'hui. Il découvre ainsi, qu'en innoculant des **microbes** affaiblis ou morts à un organisme, celui-ci développe une réaction qui lui permet de **résister** s'il entre en contact avec le même microbe en pleine forme.

Pasteur est déjà un vieux monsieur couvert d'honneurs lorsqu'en 1885, on lui amène le jeune Joseph Meister, qui vient de se faire mordre par un chien enragé. Pasteur décide de prendre le risque de le vacciner avec le produit qu'il vient de mettre au point. En sauvant ce petit garçon de neuf ans, Pasteur entre définitivement dans l'histoire de la médecine. L'Institut Pasteur est inauguré trois ans plus tard pour combattre la **rage**.

RÉVOLUTION ANTIBIOTIQUE

À la mort de Pasteur, en 1895, le jeune **Alexander Fleming** n'a que 14 ans. Il vient de s'installer à Londres pour poursuivre ses études. Devenu médecin et chirurgien, il poursuit l'étude des différents micro-organismes qui transmettent des maladies et met au point plusieurs vaccins. Fleming est un chercheur reconnu, mais parfois un peu brouillon. C'est **par hasard** qu'en 1928, l'une de ses cultures de bactéries est **contaminée** par une **moisissure.** Fleming remarque que cette contamination a **stoppé** le développement des bactéries. Il identifie la moisissure comme étant un **champignon**, le penicillium, et baptise le principe actif « **pénicilline** ». Le premier **antibiotique** est né ! Mais il faut attendre la guerre de 1939-1945 pour que les laboratoires pharmaceutiques s'emparent de la découverte et les produisent de façon industrielle. Les premiers antibiotiques sont utilisés avec succès pour soigner les malades et les blessés de la guerre.

Alexander Fleming reçoit le **prix Nobel de médecine** en 1945. Avant sa mort en 1955, il est également le premier à avoir averti des dangers d'une mauvaise utilisation des antibiotiques, provoquant l'apparition de bactéries résistantes.
Depuis cette époque, on estime que les antibiotiques auraient sauvé environ **200 millions de vies !**

TROMPE-L'ŒIL

Même un œil exercé s'y laisse prendre !

RECTANGLES FARCEURS

1

CES LATTES DE BOIS TE PARAISSENT DE TRAVERS ? C'est uniquement à cause du motif qui décore chaque rectangle. Les lignes brisées obliques trompent ton cerveau, qui ne reconnaît plus la forme rectangulaire. Tu peux prendre une règle pour vérifier, mais tes yeux refuseront de croire ce que la règle démontre !

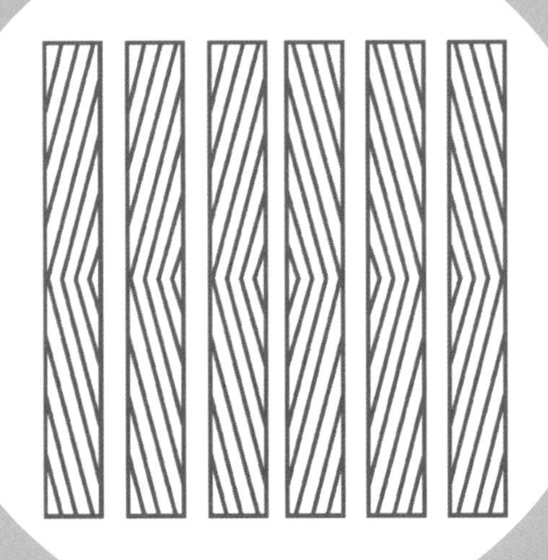

2

CERCLES VIRTUELS

FIXE ATTENTIVEMENT CETTE ROSACE. Au bout d'un moment, tu vois se dessiner des cercles blancs concentriques : ton cerveau cherche à comprendre le dessin et crée ces cercles pour donner un peu d'ordre à toutes ces lignes.

3

RÉVERSIBLE !

RETOURNE TON LIVRE ET VÉRIFIE :
tu pourras aussi lire le mot VICTORIA à l'envers ! Un mot écrit de cette façon, pour qu'il soit « réversible », s'appelle un ambigramme.

4

DÉCALÉS OU PAS ?

À cause des deux lignes brisées, les cercles paraissent décalés un coup à droite, un coup à gauche. ET POURTANT, EN RÉALITÉ, ILS SONT BIEN ALIGNÉS !

5

UN OU DEUX ?

TU VOIS DEUX TRIANGLES ?
Et pourtant, en réalité, il y a un triangle et un trapèze, mais ton cerveau imagine un second triangle caché par celui qui est au premier plan...

LES CINQ SENS

DES SENS, ON EN A CINQ, TOUS TRÈS UTILES !

La vue

Quand les yeux reçoivent les rayons lumineux des objets, ils les interprètent et transmettent des signaux au cerveau. À son tour, le cerveau analyse les signaux et les traduit en images.

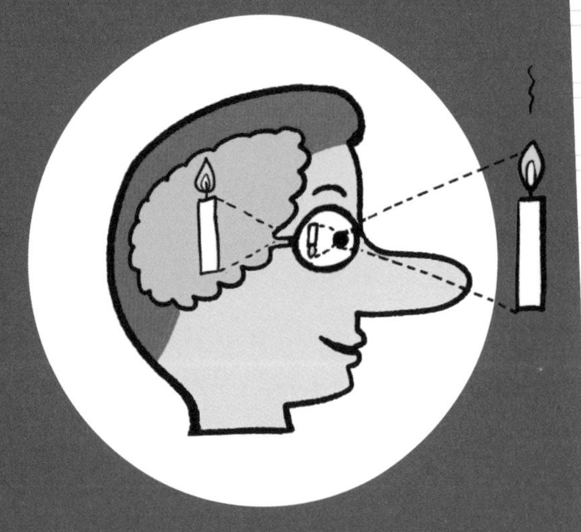

VOILÀ CE QUI SE PASSE :
Tu regardes une image => dans le cristallin de ton œil, les rayons lumineux se croisent,
=> l'image qui frappe ta rétine est inversée,
=> le cerveau analyse ce qu'il reçoit,
=> le cerveau remet l'image à l'endroit.
Abracadabra !

L'OUÏE

L'oreille a une grande mission : recueillir les sons qui nous entourent. Ces sons, en atteignant les molécules de l'air, provoquent des vibrations. Tes oreilles les captent et envoient des signaux au cerveau qui compare ces vibrations à ce qu'il connaît déjà et peut ainsi interpréter ce qu'il entend : le son d'un instrument, une sirène de pompier, quelqu'un qui chante (juste ou faux !)...

Le toucher

Voilà un sens qui fait appel à ton corps entier ! Sous ta peau, ainsi que sur plusieurs zones de ton corps et de tes organes, se trouvent des millions de détecteurs sensoriels reliés aux nerfs qui mènent à ton cerveau.
Ce sens nous évoque des choses agréables comme par exemple une caresse, toucher quelque chose de doux, ou encore mettre les pieds dans l'eau. Mais le toucher permet aussi de détecter le danger à travers la douleur. C'est elle qui t'avertit si tu te coupes ou si tu te brûles.

Le goût

Notre langue est recouverte de petites bosses appelées « papilles gustatives ».

C'est grâce à elles que nous pouvons percevoir le goût des choses. Nous en avons environ 10 000, rien que ça ! L'odorat et le goût sont un peu les super copains de la bande des cinq sens ! Quand un aliment est mâché dans la bouche, des senteurs se dégagent et circulent dans l'arrière de la gorge. Sans qu'on s'en aperçoive, elles remontent jusque dans le fond du nez et font appel à notre odorat.

AS-TU REMARQUÉ ? Les aliments n'ont pas le même goût quand tu es enrhumé. Et même, parfois, ils n'ont plus de goût du tout !
La langue capte les goûts de base mais, pour toutes les autres saveurs, il faut compter sur son nez. Alors, quand on est enrhumé et qu'on a le nez bouché, celui-ci ne peut plus faire son travail : ce qu'on appelle « les muqueuses nasales » sont plus épaisses et ne laissent plus passer l'air qui vient de la bouche. D'où l'impression de n'avoir aucun goût !

LE TEST FACILE : goûte un aliment en respirant normalement. Goûte-le maintenant en te bouchant le nez… Alors ?

L'odorat

Ah, les odeurs, tout un programme ! Les odeurs se forment parce que la plupart des objets libèrent de fines molécules dans l'air. Et quand elles pénètrent dans ton nez, les cellules détectrices d'odeurs te permettent de sentir !

Parmi ces odeurs, lesquelles te semblent agréables ou désagréables ?

PAIN CHAUD
GÂTEAU QUI SORT DU FOUR
POUBELLE
PIED SALE
CROTTE DE CHIEN
FLEURS
BANANE

Combien d'odeurs l'être humain peut-il détecter ?

Jusqu'à il n'y a pas longtemps, on croyait que les êtres humains pouvaient déceler environ 10 000 odeurs. Ce qui est déjà pas mal ! Mais des chercheurs ont affirmé récemment que nous pouvions sentir mille milliards d'odeurs (1 000 000 000 000). C'est qui le super-héros hein ?

Détermine à quel sens chaque verbe se rapporte.

OUÏE
ODORAT
GOÛT
VUE
TOUCHER

Caresser	Ouïr	Masser	Frotter
Entendre	Goûter	Savourer	Apercevoir
Écouter	Sentir	Palper	Déguster
Voir	Renifler	Contempler	Tâter
Regarder	Flairer	Observer	Entrevoir
Effleurer	Humer		

» SOLUTIONS p. 140

MORT DE RIRE !

3. QUEL EST LE COMBLE POUR UN SQUELETTE ?

4.

Mon premier
se dit quand on n'a pas entendu.

Mon deuxième
sert à attraper les papillons.

Mon troisième
est ce que font 1+1.

Mon quatrième
n'atteint pas la blanche colombe.

ET MON TOUT DÉGOULINE SUR TON MENTON.

1. QUEL EST LE COMBLE DE LA PROPRETÉ ?

2. Que crie un squelette quand il est en danger ?

5. Un papa squelette apprend à son fils à pêcher à la ligne : « Surtout, quand tu l'auras attrapée, métacarpe dans le seau ! »

6. RECETTE POUR POTION MAGIQUE **POUR AVOIR BONNE HALEINE**

7. MON PREMIER EST UN OISEAU.

MON DEUXIÈME EST LE CONTRAIRE DU BIEN.

MON TROISIÈME SE BOIT TOUS LES JOURS.

MON QUATRIÈME BAT DANS TA POITRINE.

ET MON TOUT EST CE QUE TU DIS… JUSTE AVANT DE VOMIR !

8. Une maman squelette téléphone à son fils parti en vacances, et lui demande : « Alors, tibia arrivé malgré l'articulation* ? »

» SOLUTIONS p. 140

QUEL ARTISTE CE CERVEAU !

Toutes les informations visuelles perçues par les yeux sont transmises au cerveau qui les interprète à sa manière : il peut lui arriver de corriger une ligne, d'ajouter un peu de couleur, des traits imaginaires, d'augmenter ou de diminuer le contraste... Bref, il se la joue parfois un peu artiste pour notre plus grand bien !

DÉGRADÉ DE GRIS

Sur l'image de gauche, les deux carrés éloignés l'un de l'autre ont l'air de la même couleur. Mais si on les rassemble, comme sur l'image de droite, tu peux constater qu'ils ne sont pas tout à fait semblables : celui du bas est légèrement plus clair que celui du haut.

TON CERVEAU, EN AUGMENTANT LE CONTRASTE, MET EN VALEUR CETTE LÉGÈRE DIFFÉRENCE.

ADAPTATION

Fixe ce cercle orange longuement, puis décale rapidement ton regard vers la droite. Tu vois apparaître un cercle bleu clair sur le fond blanc, non ? C'est normal : tes yeux se sont réglés sur la couleur orange, il leur faut ensuite une fraction de seconde pour se régler à nouveau sur le blanc. Lors de cette fraction de seconde de réglage, tu vois apparaître la couleur complémentaire du orange... le bleu !

DÉPRESSION DANS L'AIR

MATÉRIEL

- 1 bouteille en plastique
- 1 entonnoir
- 1 casserole d'eau

1 Avec un adulte, fais chauffer une casserole d'eau jusqu'à ébullition. Lorsque l'eau bout, positionne l'entonnoir au-dessus de la casserole et enfile la bouteille dans le col de l'entonnoir pendant quelques secondes.

2 Rebouche très vite la bouteille et mets-la au congélateur.

3 Compte jusqu'à 30 et ressors la bouteille du congélateur.

ELLE EST TOUTE CABOSSÉE, APLATIE ET COUVERTE DE GOUTTELETTES !

POUR COMPRENDRE

Tu as enfermé de la vapeur d'eau et de l'air chaud dans la bouteille. En refroidissant brusquement, l'air se contracte, la pression baisse dans la bouteille et attire les parois vers l'intérieur, pendant que la vapeur d'eau se condense en gouttelettes. De la même manière, lorsque la météo annonce une dépression, la pluie n'est pas loin !

TOUS LES GOÛTS SONT DANS LA NATURE !

Pas facile de déterminer le goût des aliments, ou plutôt leur saveur ! Heureusement, ta langue, constituée de papilles gustatives, est là pour t'aider à y voir plus clair ou, plutôt, à mieux goûter !

VOICI LES QUATRE SAVEURS DE BASE ET UNE LISTE D'ALIMENTS.
ESSAIE DE TROUVER À QUELLE SAVEUR APPARTIENT TEL OU TEL ALIMENT.

Sucré | **Salé** | **Amer** | **Acide**

CORNICHON

CHIPS

FIGUE

CHOUX

CITRON

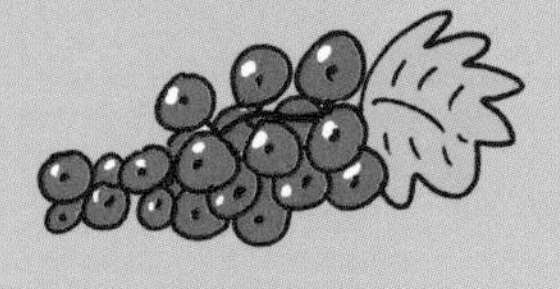

GROSEILLES

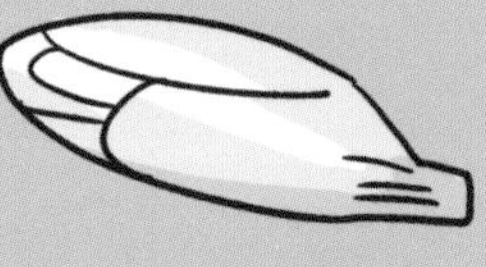
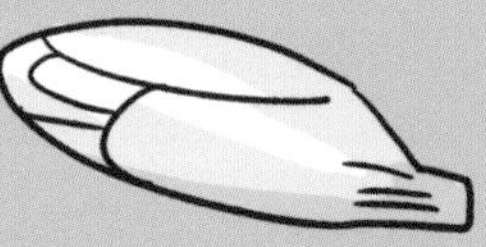

ENDIVE

BONBONS

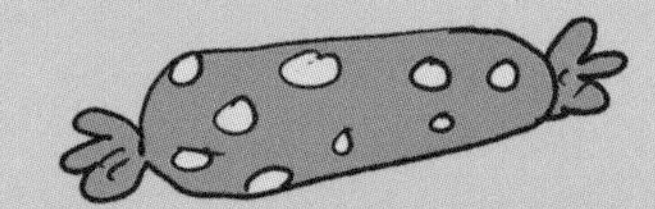

SAUCISSON

PAMPLEMOUSSE

MIEL

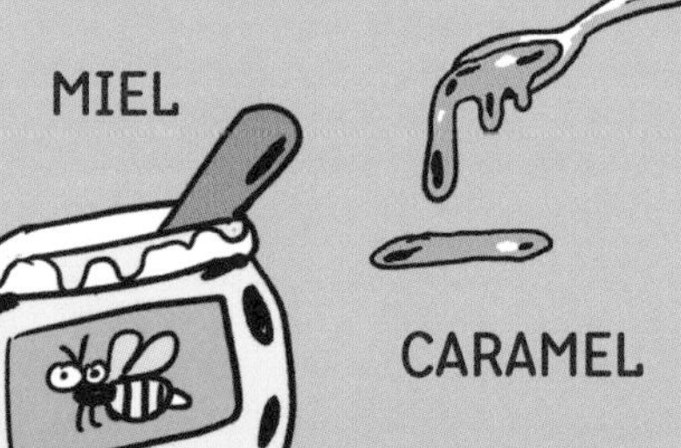

CARAMEL

LE TRUC DE FOU !

Il existe une cinquième saveur de base que l'on appelle « umami », ce qui signifie « savoureux » en japonais. De nombreux aliments que nous consommons plus ou moins régulièrement sont riches en umami : le poisson, les crustacés, les tomates bien mûres, les champignons, les épinards, le thé vert ou encore les viandes fumées...

» SOLUTIONS p. 140

DES INFOS PAS INUTILES DU TOUT

Les papilles gustatives ne serviraient pas à grand-chose sans la salive ! En effet, avant de pouvoir exciter les papilles gustatives, les substances doivent impérativement se dissoudre dans la salive, car les récepteurs du goût ne fonctionnent qu'en milieu liquide.

Le goût change avec l'âge ! Les papilles gustatives apparaissent chez le fœtus, dans le ventre de la maman. Un nouveau-né possède plus de papilles gustatives qu'un adulte, et encore plus qu'une personne âgée !

La durée de vie moyenne des papilles est d'une dizaine de jours, elles se renouvellent donc continuellement !

ATTENTION, COMPÈT' DE PAPILLES ! QUI EN A LE PLUS ?

La poule 24

Le pigeon 37

Le canard 200

Le chat 473

Le chien 1 700

L'homme 10 000

Le cochon 15 000

Le lapin 17 000

Le veau 24 000

Le poisson-chat 270 000

LE CYCLE DE L'EAU

L'EAU DOUCE, UNE RARETÉ !

Sur notre planète bleue, l'eau est abondante.

Les océans en couvrent environ 70 % de la surface.

Ils représentent la quasi totalité de l'eau présente sur Terre, mais ils sont... salés ! Avec moins de 5 % de notre eau, l'eau douce est donc une vraie rareté. Si on ajoute à cela que les deux tiers de cette eau douce est gelée dans les calottes glaciaires des pôles et qu'une grande partie est stockée dans le sous-sol, il ne reste plus grand-chose pour les lacs et les rivières !

C'est pourtant cette eau douce accessible que se partagent les milliards d'êtres vivant sur la terre ferme : végétaux, champignons, animaux et... humains.

Il est donc très important de ne pas la gaspiller !

Aussi dans le corps...

L'eau n'est pas seulement présente sous forme de liquide, de vapeur ou de glace, elle est aussi contenue dans chacun des êtres vivants de la planète. Le corps humain, par exemple, est constitué pour plus de la moitié... d'eau ! Il en perd constamment, par la transpiration ou l'urine, et doit donc en permanence la renouveler, en buvant bien sûr, mais aussi en mangeant. Tous nos aliments ou presque contiennent de l'eau !

Un cycle sans fin

L'eau ne reste pas immobile. Sans cesse, l'eau de la surface s'évapore sous l'effet de la chaleur du soleil. L'eau des océans, bien sûr, mais aussi la transpiration des animaux et des végétaux. Dans la haute atmosphère froide, la vapeur se condense et forme les nuages. Quand les nuages sont trop chargés, il pleut et l'eau retombe sur la surface de la terre.

RUISSELLEMENT OU INFILTRATION

Lorsque l'eau retombe sur terre sous forme de pluie, elle **coule** en suivant la pente du sol. Les différents ruissellements se rassemblent pour former les **rivières**, puis les **fleuves**. Une partie de l'eau **s'infiltre** dans le sol. Si elle rencontre de la roche imperméable, elle forme un **lac souterrain** ou une **nappe phréatique**.

MÊME PAS MOUILLÉ !

1

Plie le mouchoir en papier et enfonce-le bien au fond du verre. Retourne le verre pour vérifier que le mouchoir reste coincé au fond.

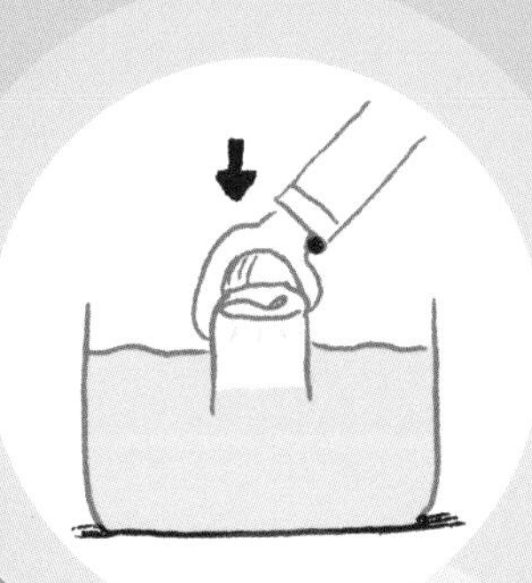

MATÉRIEL

- 1 verre
- 1 mouchoir en papier
- 1 bassine d'eau (ou 1 grosse marmite)

2

Plonge doucement le verre dans l'eau en prenant garde à le tenir bien vertical. Le verre doit être complètement immergé.

3

Ressors doucement le verre de l'eau, en le tenant toujours bien vertical.

TOUCHE LE MOUCHOIR AU FOND DU VERRE : IL EST RESTÉ SEC !

POUR COMPRENDRE

En immergeant le verre, tu as emprisonné l'air qu'il contient. Sous la pression de l'eau, le volume de cet air diminue, mais reste suffisant pour garder le mouchoir au sec.

P'TIT BATEAU SUR L'EAU

MATÉRIEL

- de la pâte à modeler
- 1 verre d'eau
- 1 feutre noir

1

Remplis le verre d'eau. Sur le verre, marque au feutre le niveau de l'eau.

2

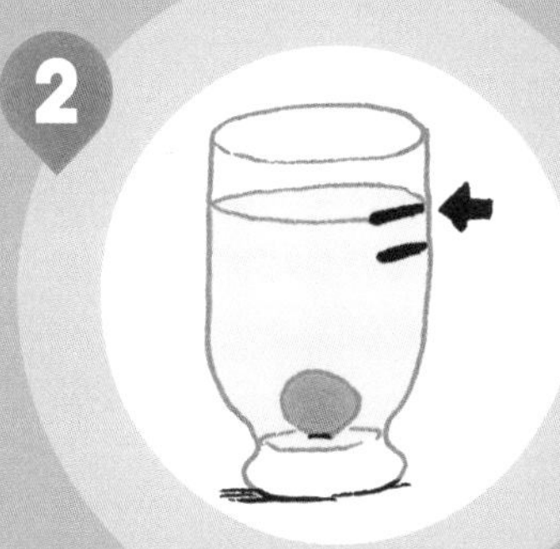

Fais une boule avec la pâte à modeler et mets-la dans le verre. Elle coule directement au fond du verre. Marque le nouveau niveau de l'eau. Ton deuxième trait est très légèrement au-dessus du premier.

3

Récupère ta boule de pâte à modeler et façonne-la en forme de barque.

Pose ton petit bateau doucement à la surface de l'eau : il flotte ! Observe le niveau de l'eau : il est au-dessus de tes deux petits traits.

POUR COMPRENDRE

Ta pâte à modeler pèse le même poids qu'elle soit en boule ou en barque. Ce qui compte, c'est le volume d'eau déplacé par l'objet que tu poses dans l'eau, qui provoque une poussée de bas en haut. Plus le volume d'eau déplacé est important, plus la poussée est forte. En façonnant ta barque, tu augmentes le volume de la pâte à modeler, tu renforces la poussée, permettant à ton bateau de flotter : c'est le principe d'Archimède !

POISSON

Pourquoi le poisson ouvre-t-il sans cesse la bouche ?

Tout simplement pour respirer ! En ouvrant la bouche, le poisson fait entrer de l'eau, qui ressort de chaque côté de sa tête par les branchies. Il absorbe ainsi l'oxygène contenu dans l'eau. Et, bien sûr, il ouvre aussi sa bouche pour se nourrir.

Combien mesure le plus grand des requins ?

Le requin-baleine peut atteindre jusqu'à 20 m de long (dans ce cas, son poids est d'environ 34 t). Mais ce genre de monstre, qui vit dans les eaux chaudes, est assez rare (habituellement, cet animal mesure entre 4 et 15 m – ce qui n'est pas si mal !). C'est, du reste, le plus grand des poissons répertoriés à ce jour. À titre de comparaison, la baleine bleue, qui est le plus gros animal vivant, peut faire plus de 30 m de long et peser jusqu'à 200 t.

Pourquoi les poissons ont-ils des écailles ?

Les écailles forment comme une petite armure qui protège les poissons des chocs et éraflures. Toutes lisses, elles leur permettent aussi de mieux glisser dans l'eau.

Pourquoi les requins ont-ils autant de dents ?

Les requins ont plusieurs rangées de dents : voilà pourquoi ils en ont beaucoup ! Lorsque certaines tombent ou sont abîmées, elles sont renouvelées ou remplacées par des dents de la rangée suivante. Un peu comme un tapis roulant de dents !

L'hippocampe est-il vraiment un poisson ?

L'hippocampe possède de petites nageoires et respire sous l'eau : c'est donc bien un poisson ! Grâce à sa nageoire dorsale, il est d'ailleurs le seul poisson qui peut se tenir en position verticale.

Le requin blanc est-il tout blanc ?

Le grand requin blanc n'a que le ventre de cette couleur ! Son dos, lui, est foncé : ce qui le rend plus difficile à repérer dans les eaux profondes.

Le poisson-chat a-t-il des moustaches ?

Le poisson-chat a bien des moustaches, mais ce ne sont pas des poils ! Il s'agit de petits tubes de peau qui pendent de chaque côté de la bouche et qui permettent à l'animal de se repérer.

DEVINETTES

1.

« Donner sa... au chat. »
« Tourner sept fois sa... dans sa bouche. »
Quel est le mot manquant ?

2.

En grec ancien, notre nom signifie « amande », car notre forme allongée rappelle ce fruit. Lorsque nous gonflons et rougissons, nous sommes douloureuses.

QUI SOMMES-NOUS ?

3.

« Faire », « tourner », « jeter », « taper », « ouvrir », « fermer » sont des verbes qui peuvent accompagner cet organe dans des expressions.

QUEL EST-IL ?

4.

Plein, je peux contenir jusqu'à 4 litres...

QUE SUIS-JE ?

5.

Je peux être cousue, en cul-de-poule ou en cœur.

QUE SUIS-JE ?

6.

Je commence par un P.

Au soleil, je suis toute petite ; à l'ombre, je grandis.

QUE SUIS-JE ?

9. On dit que les paresseux en ont un dans la main.

QU'EST-CE ?

10.

Je suis plus ou moins A, B, AB ou O…

QUE SUIS-JE ?

7.

Tout au long de la vie, je grandis d'environ 1,5 cm par mois.

QUE SUIS-JE ?

8.

On peut m'appeler « vespasiennes », « latrines », « water closet », « lieux d'aisance », « cabinet », « petit coin »…

QUE SUIS-JE ?

11.

Je suis interne et externe. L'étrier, le pavillon et l'enclume sont des éléments qui me composent.

QUE SUIS-JE ?

» SOLUTIONS p. 140

LA POMME d'Isaac Newton

À la fois philosophe, mathématicien, physicien et astronome, cet Anglais du XVIIe siècle a mis en équation la mécanique « classique » qui régit notre quotidien.

Isaac Newton est né en 1643 dans une famille paysanne. Malgré une enfance pas très heureuse, le jeune Isaac se montre brillant ; il est autorisé à poursuivre ses études. À 18 ans, il intègre le prestigieux Trinity College de Cambridge, l'équivalent d'une université, où il se fait vite remarquer par ses professeurs.
En 1665, une épidémie de peste s'abat sur la ville. Le jeune homme doit alors se réfugier dans sa famille, à la campagne.

LES « BIENFAITS » DE LA PESTE

Au cours de ces « vacances » forcées qui dureront deux ans, Newton observe la nature autour de lui et met au point de nombreuses théories. Il démontre par exemple que la lumière n'est pas blanche, mais qu'elle se décompose en un spectre coloré. Il ne publiera ses observations et ses preuves que cinq ans plus tard, mais cette publication le rendra immédiatement célèbre. C'est à la même époque que Newton aurait conçu les bases de ses principes de mécanique. La mécanique est la branche de la physique qui étudie les équilibres, les mouvements et ce qui les provoque, les frottements et les déformations qui en résultent. On parle de mécanique « classique », car toutes les équations de Newton expliquant ce qui se passe lors d'un choc, d'un écoulement ou d'une chute sont encore valables. Bien sûr, depuis, les chercheurs s'intéressent à la mécanique quantique pour expliquer les interactions entre particules, ou à la mécanique relativiste, généralisée par Albert Einstein. Mais sur terre, au quotidien, les principes de Newton sont utilisés pour calculer des phénomènes aussi variés que le mouvement d'une balançoire, celui des marées, la chute d'un objet ou la trajectoire d'un ballon.

L'ÉPISODE DE LA POMME

C'est également au cours de son long séjour à la campagne qu'un jour, faisant la sieste sous un arbre, il aurait observé la chute d'une pomme. Cet événement pas très original l'aurait amené à se demander pourquoi la pomme semble ainsi attirée par le sol. La théorie de la gravitation universelle explique à la fois la chute d'un objet sur une planète donnée – comme la Terre – et la façon dont les corps célestes s'attirent dans l'Univers. Newton a mis en évidence la relation entre la masse des objets et l'attraction qu'ils exercent les uns sur les autres en fonction de la distance qui les sépare. Cette théorie permet d'expliquer la forme elliptique des orbites des planètes autour du Soleil, par exemple. Les principes de mécanique et la théorie de l'attraction universelle sont regroupés dans l'ouvrage majeur de Newton, *Principes mathématiques de la philosophie naturelle*, publié en 1687. Bien accueilli en Grande-Bretagne, il passe presque inaperçu dans la France du Roi-Soleil et dans le reste de l'Europe. Mais il influencera profondément toute la recherche scientifique du XVIIIe siècle.

QUI TROMPE L'AUTRE ?

Voici quelques expériences pour essayer de tromper ton corps…
À moins que ce ne soit lui qui te fasse faire des choses bizarres ?

LES RÉFLEXES : DES GESTES INCONTRÔLÉS !

MATÉRIEL

- 1 livre assez gros
- 1 complice

LE RÉFLEXE EST UN MOUVEMENT AUTOMATIQUE.
TU CONNAIS PEUT-ÊTRE DÉJÀ
LE « RÉFLEXE ROTULIEN ».
PRÊT À LE TESTER ?

Assieds-toi, jambes croisées. Demande à un copain ou à l'un de tes parents de te donner un léger coup sous le genou avec la tranche d'un livre. Et là, magie, ta jambe se tend toute seule ! Le signal ne vient pas de ton cerveau, mais directement de ta moelle épinière en réponse à ce geste.

TROMPE TES MUSCLES !

**Tiens-toi debout, les bras le long du corps. Pendant que ton complice te tient le bras, tente de le monter à la verticale sur le côté durant 30 secondes.
Que se passe-t-il une fois que ton ami t'a lâché le bras et que tu as relâché tes muscles ?**
TON BRAS CONTINUE À MONTER !

POURQUOI ?
Lorsque tu fournis un effort pour monter ton bras, tes muscles enregistrent une information << hop, hop, on monte le bras, les gars, on monte le bras ! >>, mais quand tu te relâches soudainement, l'information ne disparaît pas tout de suite et ton bras continue d'exécuter cette information. Il faut un petit temps avant que la nouvelle information << ok, les gars, on arrête de pousser ! >> soit enregistrée.

DE QUOI AS-TU BESOIN ?

- 1 complice

LES TRUCS IMPOSSIBLES À FAIRE

SI, SI, C'EST VRAI ! MAIS RIEN N'EMPÊCHE D'ESSAYER, NON ?

1- Mets-toi debout, bien droit, face à un mur. Tes pieds et ta tête doivent toucher le mur. Maintenant, essaye de te mettre sur la pointe des pieds... Alors ?

2- Assieds-toi sur une chaise, le dos bien droit touchant le dossier, les mains le long du corps. Tes genoux doivent faire un angle à 90 degrés. Tu es bien installé ? Maintenant essaye de te lever en restant droit, sans pencher le buste en avant... Si tu y arrives, c'est que tu triches !

QUEL FARCEUR, CE CERVEAU !

Sans t'aider d'une calculatrice, additionne dans l'ordre ces différentes sommes :

1000 + 40 + 1000 + 30 + 1000 + 20 + 1000 + 10 = ??

4100 et non 5000 comme tu as dû trouver ! Après avoir effectué plusieurs calculs, le cerveau se laisse piéger par le dernier + 10. L'attention se relâche, et on passe directement à 5000 ! Si c'est un peu dur pour toi de calculer de tête, fais le test avec tes parents, tu auras alors le privilège de les piéger ! Hi ! Hi ! Hi !

TESTE TON ÉQUILIBRE

1- Trouve une ligne sur le sol : à l'intérieur, ce peut, par exemple, être une rainure entre deux lattes de parquet ; en extérieur, tu peux la tracer avec une craie (la plus droite possible !). Marche le long de cette ligne le plus vite possible en mettant un pied devant l'autre. JUSQU'À QUELLE VITESSE PEUX-TU ALLER SANS DÉVIER DE CETTE LIGNE ?

2- Tiens-toi debout et ferme les yeux. Maintenant, soulève un pied... Pas facile de garder son équilibre, n'est-ce pas ? Ensuite, refais l'expérience en gardant les yeux ouverts et en fixant un point à l'horizon. C'est un peu plus facile, non ?

POUR CORSER UN PEU LE TOUT, TU PEUX FAIRE CES DEUX EXPÉRIENCES SOUS FORME DE COMPÉTITION AVEC TES COPAINS ! AMUSEZ-VOUS À VOUS CHRONOMÉTRER CHACUN VOTRE TOUR POUR VOIR LEQUEL TIENT LE PLUS LONGTEMPS !

QUIZ CORPS HUMAIN

C'EST LE MOMENT
DE TESTER
TES CONNAISSANCES !

Tu peux aussi tester celles de tes parents et leur apprendre des choses. Si, si, tu verras, les adultes ne savent pas tout !

1. Quel est le pourcentage moyen de muscles dans le poids total du corps humain : **15, 35 ou 75 % ?**

2. Comment appelle-t-on l'espace compris entre les sourcils : la glamelle, la glabelle ou la glarelle ?

3. Parmi ces mots, lequel ne désigne pas un élément de la bouche : l'épiglotte, la gluotte ou la luette ?

4. Où se trouvent les phalanges ?

5. Quelle est la largeur moyenne de l'intestin grêle : 1,1 cm, 2,5 cm ou 7,2 cm ?

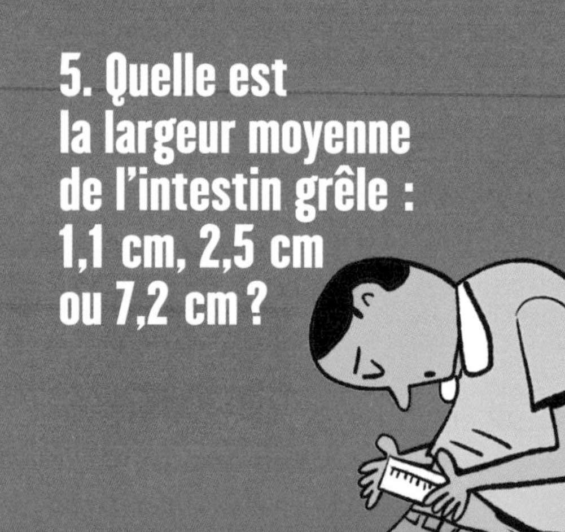

6. Combien de temps environ faut-il marcher pour éliminer **1000 calories** : 2, 5 ou 9 heures ?

7. QUEL EST LE MUSCLE LE PLUS PUISSANT DU CORPS HUMAIN ?

8. Combien de muscles sont-ils mobilisés pour tenir un stylo : 2, 8 ou 35 ?

13. Combien y a-t-il d'os dans la main : 13, 18 ou 27 ?

9. Parmi ces mots, lequel désigne le nom de la seconde vertèbre cervicale : axis, pratix ou gravis ?

14. Quelle est la température normale du corps humain ?

10. Comment appelle-t-on la petite surface blanche à la base des ongles : la canicule, la rotule ou la lunule ?

15. OÙ SE SITUE LA CLAVICULE ?

16. Où se situe l'os appelé « astragale » : dans le coude, dans la mâchoire ou dans le pied ?

11. QUELS SONT LES NOMS DES CINQ DOIGTS DE LA MAIN ?

12. Quel est le pourcentage moyen de la masse osseuse dans le poids total du corps humain : 15, 42 ou 66 % ?

17. QUELLES SONT LES DEUX COULEURS DES GLOBULES DU CORPS HUMAIN ?

» SOLUTIONS p. 140

CORPS HUMAIN

Pourquoi a-t-on parfois des fourmis dans les mains ou les pieds ?

Ce phénomène est dû à la perturbation – momentanée – de la circulation du sang. Quand on est mal assis ou mal couché, la circulation sanguine dans les artères et les veines est freinée. Le système nerveux envoie alors un signal d'alerte, qui provoque une brève impression d'engourdissement. Le temps de bouger, de reprendre une bonne position et que la circulation retrouve un fonctionnement normal, le système nerveux est un peu désorienté ; il lance des signaux contradictoires, qui causent une sensation de fourmillement.

La peur bleue… Est-ce que ça existe vraiment ?

L'expression « avoir une peur bleue » signifie qu'une personne est plus ou moins en train de vivre la frayeur de sa vie ! Cette formule est très imagée, mais pas seulement. Il se peut en effet que, lors d'une grosse frayeur, une personne ayant subi un choc puisse souffrir d'une insuffisance d'oxygène dans le sang. Et l'effet sera coloré ! Ses extrémités se teinteront alors en bleu clair, en particulier au niveau des lèvres et au-dessous des ongles. Sans aller jusque-là, il faut comprendre que si l'on dit « avoir une peur bleue », c'est parce que nous semblons avoir perdu toutes nos couleurs !

Pourquoi a-t-on parfois les yeux rouges sur les photos ?

L'œil est un peu comme un appareil photo : il est constitué, entre autres, d'un diaphragme et d'une pellicule (la rétine). Lorsqu'un flash se déclenche, sa lumière entre par la pupille, grande ouverte, et se réfléchit sur le fond de l'œil, qui contient… plein de vaisseaux sanguins ! Le sang colore alors la lumière qui ressort en rouge : rien de magique ou de sorcier là-dedans, que du naturel ! Si on prend une photo sans flash, il n'y a jamais cet effet.

Comment les astronautes font-ils caca dans l'espace ?

Pas facile, justement ! Première difficulté : la taille réduite de la pièce et des toilettes. En effet, si la cuvette de nos toilettes atteint en moyenne un diamètre de 30 à 45 cm, celles des toilettes spatiaux ne dépasse pas les 10 cm ! Plus petit qu'un smartphone actuel ! Seconde difficulté : pour se positionner et se maintenir dessus, les spationautes disposent de poignées, de sortes d'étriers et de sangles. Tout un programme ! La procédure demande d'ailleurs un peu de pratique et fait partie de l'entraînement de la NASA pour les futurs astronautes. Si, si ! Une fois positionnés, ceux-ci activent un système d'aspiration destiné à évacuer les déchets solides. Ces derniers ne sont pas largués dans l'espace, mais stockés sur place dans un compartiment prévu à cet effet. Ils sont éliminés de retour sur la Terre.

À quelle vitesse l'éternuement projette-t-il la salive?

Des études ont permis de constater que la vitesse des éternuements produits par les volontaires testés atteignait environ 4,5 m/s, soit à peu près 16 km/h. Une vitesse finalement assez comparable à celle de l'air expiré quand on tousse. Mais, selon les individus et les circonstances, un éternuement pourrait tout de même atteindre jusqu'à 50 km/h et projeter des fluides et quelques microbes au passage à quelque 9 m de distance. Oui, 9 m !

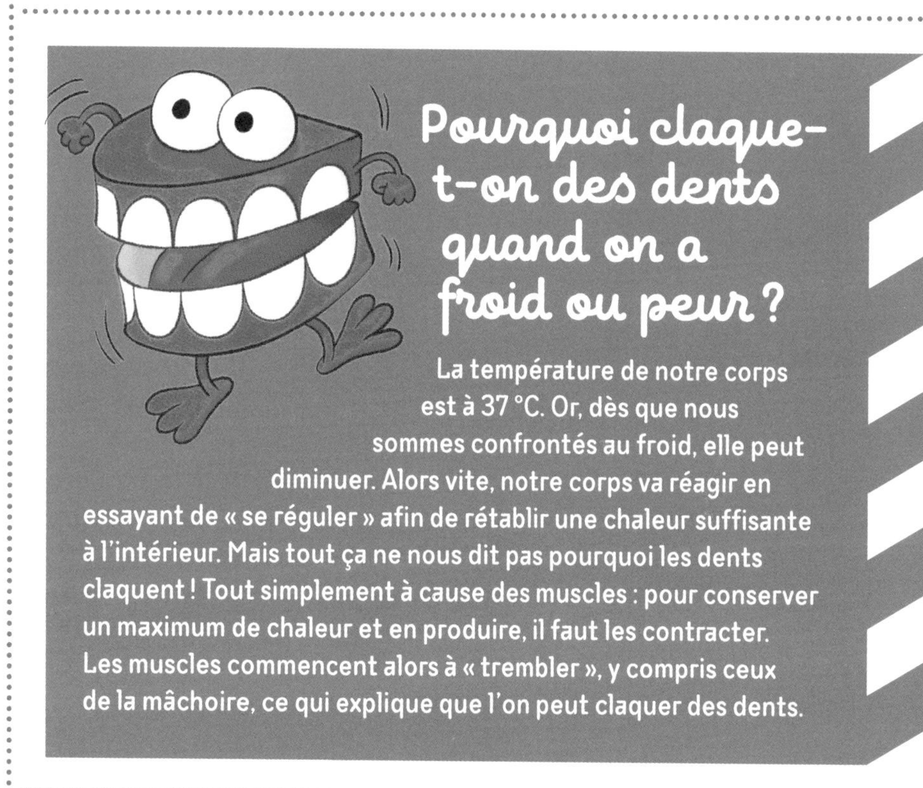

Pourquoi claque-t-on des dents quand on a froid ou peur ?

La température de notre corps est à 37 °C. Or, dès que nous sommes confrontés au froid, elle peut diminuer. Alors vite, notre corps va réagir en essayant de « se réguler » afin de rétablir une chaleur suffisante à l'intérieur. Mais tout ça ne nous dit pas pourquoi les dents claquent ! Tout simplement à cause des muscles : pour conserver un maximum de chaleur et en produire, il faut les contracter. Les muscles commencent alors à « trembler », y compris ceux de la mâchoire, ce qui explique que l'on peut claquer des dents.

Nos ongles poussent-ils tous à la même vitesse ?

Non ! Ceux des orteils poussent entre 2 et 3 fois moins vite que ceux des doigts. Ces derniers croissent de 0,01 mm par jour, soit beaucoup moins que l'épaisseur d'une feuille de papier ! C'est l'ongle du majeur qui pousse le plus vite, suivi par ceux de l'index, de l'annulaire, du pouce et, enfin, de l'auriculaire. Par ailleurs, les ongles poussent de plus en plus lentement à mesure que l'on vieillit.

TOMBER SUR UN OS !

206 : c'est le nombre d'os qui constituent le corps humain !
Tu connais déjà le nom de certains, mais pourquoi ne pas approfondir un peu et tenter d'en apprendre beaucoup d'autres ? On ne sait jamais, ça pourrait te servir au détour d'une conversation !

C'est le doc qui le dit !

Le rôle du squelette est double. Il constitue à la fois la charpente du corps (sur laquelle les muscles et autres structures viennent se fixer) et il assure également une fonction de protection pour certains organes, comme ceux situés dans la cage thoracique ou le cerveau. Si on enlève tout ce qu'il y a autour, la masse du squelette pèse en moyenne entre 4 et 6 kg chez l'homme, et entre 3 et 4 kg chez la femme.

LE TRUC UN PEU FOU

Un nourrisson possède environ 270 os qui se soudent entre eux en grandissant. Ainsi, les enfants ont les os plus mous que les adultes : ce qu'on appelle l'« ossification » se fait peu à peu, de l'enfance à la puberté.

Os court, os long

Les os peuvent être longs, plats ou arrondis. Ils sont reliés par des articulations et/ou des cartilages et sont constitués de deux parties : l'os compact, dur et rigide, à l'extérieur, et l'os spongieux qui ressemble à une éponge, à l'intérieur.

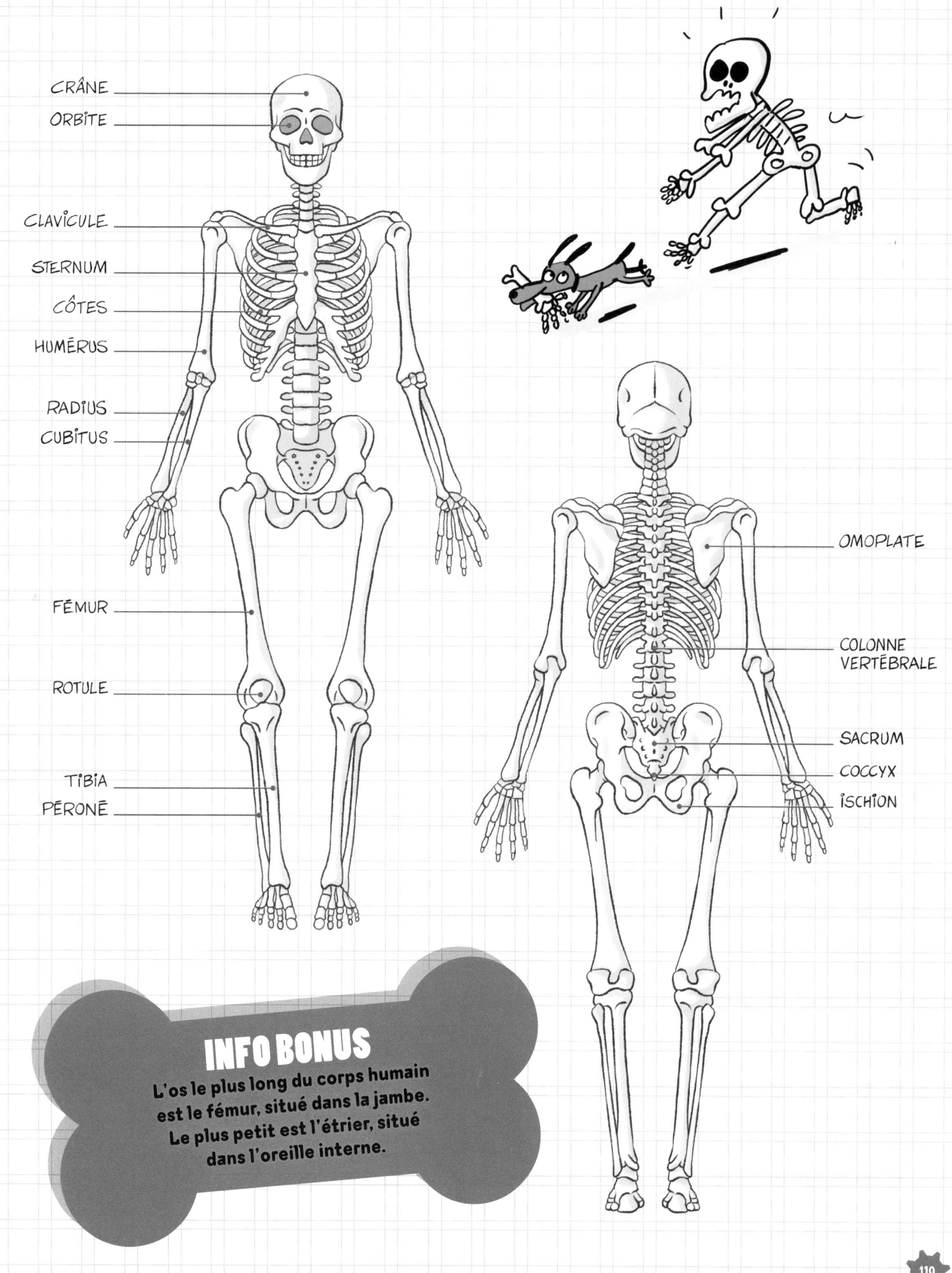

INFO BONUS

L'os le plus long du corps humain est le fémur, situé dans la jambe. Le plus petit est l'étrier, situé dans l'oreille interne.

PASSION MIAM

C'est quoi, les lipides?

Les lipides sont présents dans le gras des aliments. Ils peuvent être d'origine animale, comme dans le beurre, la crème fraîche ou la charcuterie, ou bien d'origine végétale, comme dans l'huile végétale, les noix ou les cacahuètes. Les lipides sont utiles au corps pour constituer les réserves de graisse, le tenir au chaud, ou encore pour fabriquer la membrane des cellules.

C'est quoi, les protéines ?

Les protéines sont des éléments fondamentaux de notre alimentation ! Elles sont utiles à notre corps pour nous protéger contre les maladies. Elles interviennent également dans le renouvellement de la peau et la croissance des organes. Les aliments riches en protéines sont les produits laitiers, la viande, les œufs et le poisson (protéines animales). Mais on en trouve aussi beaucoup dans les céréales et les légumineuses, comme les lentilles (protéines végétales).

C'est quoi, les glucides?

Les glucides regroupent les sucres, considérés comme la première source d'énergie du corps. Il y a les glucides simples contenus dans tout ce qui est sucré et aussi les glucides complexes contenus dans les céréales, les pommes de terre, le riz, ou encore les fruits et les légumes secs. Les glucides sont tout simplement essentiels au fonctionnement du cerveau. Si tu n'as plus assez de sucre dans le sang, ton cerveau va peu à peu arrêter de bien fonctionner… Mais il faut aussi les limiter pour ne pas trop grossir !

Pourquoi faut-il manger de tout ?

Ton corps est une grande machine qui a besoin d'énergie pour bien fonctionner. Et cette énergie, il la trouve dans les aliments que tu manges ! C'est pour ça qu'il faut varier les aliments. Un exemple tout bête : ne manger que des bonbons ne peut pas donner assez de force au corps humain mais apporte autre chose... des caries ! Pour être en forme, il faut manger des fruits et des légumes riches en vitamines, mais aussi des aliments à base de protéines, de glucides et de lipides.

D'où viennent le sucre et le sel ?

Le sel, d'origine minérale, se trouve dans les mers et les océans, mais on peut aussi en extraire dans des mines en injectant de l'eau dans certaines roches pour le dissoudre. Le sucre, d'origine organique, est fabriqué par un organisme vivant. Celui que nous consommons vient de la betterave à sucre ou de la canne à sucre. Mais nous trouvons aussi du sucre dans d'autres plantes et dans les fruits.

Pourquoi doit-on manger des légumes ?

Les tigres et les ours blancs ne mangent pas de légumes, mais nous ne sommes pas des carnivores comme eux : nous sommes faits pour manger de tout (comme les cochons !). Les légumes nous apportent des substances dont les ours blancs peuvent se passer, mais pas nous : des fibres qui aident à digérer, de nombreuses vitamines qui fortifient et des minéraux qui font grandir. Et ils peuvent être délicieux, non ?

Pourquoi fait-on des rots et des prouts ?

Rots, ballonnements, prouts... tous ces petits désagréments sont dus à la présence d'air dans l'appareil digestif. Cet air cherche à s'échapper en passant par le haut ou par le bas. Cela produit parfois des gargouillis plus ou moins sonores. Pour les éviter, mieux vaut ne pas boire de boisson gazeuse, ni mâcher de chewing-gum, et limiter certains aliments comme le chou ou les haricots blancs !

MAGIQUE : L'ŒUF ASPIRÉ !

MATÉRIEL

- 1 œuf
- 1 verre
- du vinaigre blanc
- 1 carafe
- du papier
- 1 allumette

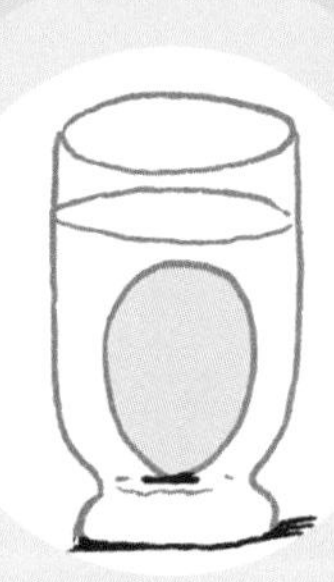

1. Mets l'œuf dans le verre et remplis le verre de vinaigre blanc.

2. Le lendemain, mets du papier froissé au fond de la carafe et pose doucement ton œuf dessus. Il ne se passe rien.

3. Retire l'œuf, demande à un adulte d'enflammer le papier et remets l'œuf.

LORSQUE LE PAPIER A FINI DE BRÛLER, L'ŒUF S'ENFONCE DANS LA CARAFE !

POUR COMPRENDRE

Le vinaigre dissout la coquille calcaire de l'œuf : il est devenu tout mou !
Lorsque le papier a fini de brûler, l'air de la carafe se refroidit et la pression baisse, créant une force qui attire l'œuf dans la carafe. Comme il est mou, il se déforme pour passer dans le goulot de la carafe !

TRUCS D'AGENT SECRET

1 Si tu veux faire apparaître un message secret, trempe un pinceau dans du jus de citron et écris ton texte.

MATÉRIEL

- 1 feuille de papier
- 1 pinceau
- du jus de citron
- 1 bougie chauffe-plat
- de la fécule de pomme de terre
- de la teinture d'iode (ou de la Bétadine®)

2 Lorsque le jus est sec, le texte est invisible. Demande à un adulte de faire chauffer ton papier au-dessus d'une bougie. Le texte réapparaît !

3 À l'inverse, tu peux te fabriquer une encre qui va disparaître ! Mélange la fécule de pomme de terre avec un peu d'eau chaude et ajoute quelques gouttes de teinture d'iode. Le mélange devient noir comme de l'encre.

FAIS CHAUFFER TON MESSAGE : IL DISPARAÎT !

POUR COMPRENDRE

La chaleur provoque un changement des molécules d'acide du jus de citron, qui brunit. À l'inverse, la chaleur détruit le composé fragile que tu as obtenu en ajoutant la teinture d'iode sur l'amidon de la fécule.
Ce sont des réactions chimiques.

INVENTER DES NOMBRES !

Pour compter ses moutons ou ses pièces d'or, l'être humain a rapidement inventé des nombres de plus en plus grands.

MAIS TRÈS VITE, DE NOUVEAUX PROBLÈMES SE SONT POSÉS...

ZÉRO : TOUTE UNE HISTOIRE !

Pourquoi compter quelque chose que l'on n'a pas ?
Il n'a pas semblé immédiatement indispensable d'inventer un nombre pour cela ! Ce sont les Babyloniens, 2 000 ans avant notre ère, qui ont créé le zéro pour indiquer l'absence dans leur système de numération où, comme dans le nôtre, la position des chiffres a une signification précise. Mais ce sont les Arabes qui, au Xe siècle, ont popularisé l'usage du zéro, en même temps que les chiffres que nous utilisons aujourd'hui.

PLUS PETIT QUE ZÉRO...

Sur un thermomètre, le zéro indique la température à laquelle l'eau se transforme en glace. Si on veut indiquer qu'au pôle Nord, la température est très basse et qu'il y fait plus froid que lorsque l'eau gèle, on dit qu'il y fait –34 °C ou – 50 °C, par exemple. –34 ou –50 sont des nombres plus petits que zéro : on les appelle des nombres négatifs.

CASSE-TÊTE...

Imagine une pièce de tissu carrée d'1 m de côté.
Il est impossible de mesurer exactement la longueur de la diagonale ! Pythagore a prouvé que cette longueur, multipliée par elle-même, est égale à la somme de chacun des côtés multiplié par lui même.

$(1 \times 1) + (1 \times 1) = 1 + 1 = 2.$

Mais on ne trouve aucun nombre qui, multiplié par lui-même, est exactement égal à 2 !
Alors, on a inventé $\sqrt{2}$ qui se lit « racine de 2 ».

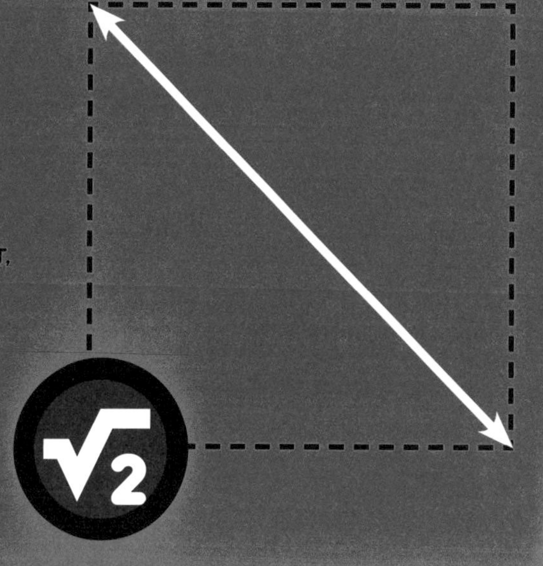

ET SI ON N'AVAIT QUE 4 DOIGTS...

« 8 » en base 10 s'écrit « 10 » en base 8 !

... dans chaque main, on aurait certainement compté les « huitaines » plutôt que les dizaines. On n'aurait eu besoin que de 8 chiffres : 0, 1, 2, 3, 4, 5, 6 et 7.

LES UNITÉS	0	1	2	3	4	5	6	7
LES « HUITAINES »	**10** 1 huitaine et 0 unité	**11** 1 huitaine et 1 unité	**12** 1 huitaine et 2 unités	**13** 1 huitaine ...	**14** 1 huitaine ...	**15** 1 huitaine ...	**16** 1 huitaine ...	**17** 1 huitaine ...
	20 2 huitaines et 0 unité							

Cela s'appelle **« compter en base 8 »** !

ÉNIGME !

Sauras-tu trouver à quel nombre en base 10 correspond l'écriture 23 en base 8 ?

» SOLUTIONS p. 140

OBSERVER LE CIEL

Depuis toujours, les hommes scrutent le ciel pour en percer les mystères. Des mégalithes préhistoriques à l'électronique d'aujourd'hui, les outils de recherche sur l'Univers ont beaucoup évolué.

La lunette astronomique

En 1609, Galilée a, le premier, l'idée de tourner vers le ciel une lunette, un instrument destiné au départ à surveiller les armées ennemies. Il en fabrique une autre, plus précise. Depuis, la lunette s'est perfectionnée : grâce à ses lentilles de verre, elle permet d'observer ce que l'on ne peut voir à l'œil nu.

LE SAVAIS-TU ?

Au Xe siècle, Alhazen, un savant d'origine perse, fait des expériences avec des lentilles de verre et étudie leur pouvoir grossissant. Il ouvre ainsi la voie à l'invention, des siècles plus tard, de la lunette.

Le télescope

Dans le télescope, les lentilles sont remplacées par des miroirs qui réfléchissent la lumière et l'orientent vers l'œil de l'observateur. C'est Newton qui, en 1671, en a été l'inventeur. On peut ainsi observer mieux et plus loin.

L'observatoire

Il existe dans le monde de nombreux observatoires. Le Keck, situé en plein océan Pacifique sur une île d'Hawaii, à 4 200 m d'altitude, est ultra-performant : la précision de ses télescopes est telle qu'elle permettrait de distinguer la flamme d'une bougie sur la Lune !

ÇA ALORS !

Au Chili, dans le désert d'Atacama, va être construit le plus grand télescope du monde. Composé d'une mosaïque de 798 miroirs, il sera assez puissant pour que l'on puisse distinguer les phares d'une voiture... sur la Lune ! On pourra alors étudier les premières galaxies, les trous noirs, les exoplanètes... et peut-être d'autres formes de vie !

LA STATION SPATIALE INTERNATIONALE (ISS)

POIDS : 400 tonnes environ

DISTANCE DE LA TERRE : 400 km

VITESSE : fait le tour de la Terre en 1 h 30

C'est le plus grand laboratoire de l'espace en orbite autour de notre planète. Des scientifiques y mènent des expériences, notamment sur l'adaptation des hommes à la vie dans le Cosmos. Commencé en 1998, il ne sera sans doute pas achevé avant 2020... mais il a déjà la taille d'un terrain de football !

BONNE IDÉE !

Pour comprendre le système des planètes et apprendre à reconnaître les étoiles, rien de mieux que le planétarium : à l'intérieur, sur un écran, sont projetées les constellations comme dans un vrai ciel. À Paris, la Géode est une salle de cinéma en forme de sphère où tu peux voir des films sur l'espace. Et pourquoi ne pas participer aux « Nuits des étoiles » qui se déroulent chaque année au mois d'août ? Un moment organisé partout en France pour contempler la voûte céleste et ses étoiles filantes... Spectacle merveilleux et émotion garantis !

Explorer l'Univers lointain

De nos jours, le plus célèbre télescope est le télescope Hubble qui tient son nom de l'astronome américain Edwin Hubble. Cet appareil ultra-puissant qui tourne dans l'espace à 590 km de la Terre a collecté des images de l'Univers lointain.

Amateur d'espace

Tout le monde peut contribuer à l'étude du Cosmos et faire progresser la science ! La NASA, l'agence qui s'occupe aux États-Unis de la recherche sur l'espace, a ainsi conçu un logiciel gratuit à installer sur son ordinateur. On prend des photos avec son télescope, puis ce logiciel les analyse ; quand un astéroïde est détecté, il vérifie si celui-ci est répertorié, si non, il envoie cette nouvelle trouvaille à la NASA !

BONNE IDÉE !

Tu peux toi aussi apprendre à regarder l'espace et te familiariser avec les constellations. Pour cela, procure-toi une carte du ciel : elle consiste en deux disques solidaires, dont l'un est la carte du ciel proprement dite tandis que l'autre indique les mois, les jours et les heures. Ainsi, tu te repéreras sur la voûte céleste selon ce que tu auras sous les yeux.

PASSION OISEAUX

Combien existe-t-il d'espèces d'oiseaux ?

Il existe environ 10 000 espèces d'oiseaux. Tous ces animaux descendent très probablement des dinosaures. La grande majorité vole, mais pas tous. Les oiseaux ont pour points communs de posséder un bec sans dents, des ailes, des plumes et aussi de pondre des œufs. L'usage veut que l'on distingue les oiseaux chanteurs, colombins, coureurs, grimpeurs, échassiers, gallinacés, palmipèdes et rapaces. Le plus petit est le colibri, qui ne pèse que quelques grammes, et le plus lourd l'autruche, dont le poids peut atteindre 150 kg pour le mâle.

Pourquoi le vautour n'a-t-il pas de plumes autour du cou ?

Le vautour se nourrit des carcasses des animaux morts, dans lesquelles il plonge la tête. S'il avait un collier de plumes, celles-ci seraient vite pleines de petites bêtes et de microbes qui favoriseraient les maladies. Un cou sans plumes est donc bien plus propre et pratique !

Pourquoi le dodo a-t-il disparu ?

Il vivait autrefois bien tranquille à l'île Maurice, dans l'océan Indien. Puis les Européens ont débarqué sur son île, au XVIe siècle, et l'ont chassé, d'autant plus facilement qu'il ne savait pas voler et était plutôt balourd ! Le dernier oiseau de son espèce est mort au XVIIe siècle, à une date inconnue.

Comment les oiseaux volent-ils ?

Les oiseaux volent grâce à leurs ailes : lorsqu'ils les bougent, elles s'appuient sur l'air et leur permettent de voler. La forme de leur tête ou encore le plumage de leur queue sont aussi très importants… Mais les oiseaux ne volent pas tous, comme l'autruche ou la pintade, par exemple !

Pourquoi le colibri est-il un oiseau extraordinaire ?

Le colibri est le seul oiseau capable de voler en marche arrière et, même, de faire du surplace. Également appelée « oiseau-mouche », cette petite bête, qui ne pèse que quelques grammes, possède de nombreuses autres caractéristiques. Ses ailes battent si vite que l'homme ne peut les distinguer quand l'oiseau les agite. Par ailleurs, c'est la femelle, et elle seule, qui construit le nid où elle va pondre ! Autre particularité ? Le colibri se nourrit presque exclusivement de nectar !

Pourquoi les cigognes ont-elles des nids aussi grands ?

Les cigognes sont très fidèles à… leur nid ! Elles peuvent le réutiliser d'une année sur l'autre et, à chaque fois, elles l'agrandissent. Leur nid peut ainsi mesurer plus de 2 m et peser 500 kg !

Pourquoi le héron se tient-il souvent sur une patte ?

Le héron a les pattes nues : elles ne disposent pas de plumes et ne sont donc pas protégées du froid. Certains spécialistes des oiseaux pensent que le héron replie une patte dans ses plumes pour éviter de perdre de la chaleur.

LES MYSTÈRES DE L'ÉVOLUTION

Charles Darwin

Depuis que les hommes ont trouvé des fossiles d'animaux disparus depuis longtemps ou des squelettes d'« hommes » ne nous ressemblant pas complètement, ils s'interrogent sur la façon dont les espèces ont évolué au cours des millénaires.

UN MONDE IMMOBILE ET IMMUABLE

La plupart des mythes et des religions décrivent la **création** d'un monde identique à celui que nous connaissons. Chaque espèce serait directement apparue **telle qu'elle existe** aujourd'hui. De nos jours, on parle de « **théorie créationniste** ». Si les hommes se sont contentés de cette explication pendant des millénaires, la découverte de **fossiles** ou d'ossements d'**espèces disparues** ou légèrement différentes de celles d'aujourd'hui a obligé les scientifiques à se poser des questions.
L'évolution est un phénomène **observable** : elle décrit l'ensemble des différences qui existent entre deux générations de la même population d'êtres vivants. Dans le cas des êtres humains, attendre trois ou quatre générations pour vérifier que ces **différences génétiques** se retrouvent, cela prend du temps. Les scientifiques préfèrent étudier des mouches ou des souris, car on peut très vite obtenir un grand nombre de générations successives et les comparer.
Mais il est impossible de faire une expérience qui dure des milliers d'années ! Expliquer **l'évolution** des espèces depuis l'apparition de la vie sur terre est donc obligatoirement un exercice théorique. Le premier à avoir proposé une théorie qui s'écartait franchement du modèle « créationniste » est **Charles Darwin**, avec la publication de son livre, ***De l'origine des espèces***, en 1859.

LA RÉVOLUTION DARWINIENNE

Charles Darwin est un naturaliste anglais. C'est déjà un scientifique reconnu lorsqu'il affirme pour la première fois que les espèces ne sont pas fixées depuis les origines et pour l'éternité, mais qu'elles évoluent et qu'elles ont toutes dérivé depuis l'origine à partir de quelques **ancêtres communs**. Pour expliquer cette évolution, il décrit un processus qu'il baptise **sélection naturelle**, qui permet aux individus les mieux adaptés de survivre. Si l'ouvrage de Darwin fait scandale au début, la communauté scientifique, reconnaissant le sérieux de son travail, adopte rapidement la théorie de l'évolution. En revanche, il faut attendre les années 1930 et les découvertes de la génétique pour que la théorie de la sélection naturelle se généralise.

Chez un individu, un nouveau caractère apparaît, par **mutation génétique**, c'est-à-dire une petite transformation de l'un de ses gènes. Si ce nouveau caractère l'avantage – par exemple, sa couleur lui permet de mieux se cacher – l'individu a plus de chances de **survivre** et de se **reproduire**. Il transmet ce nouveau caractère à ses descendants. Au bout de quelques générations, ce nouveau caractère se sera répandu dans toute l'espèce. À l'inverse, si ce nouveau caractère n'offre aucun avantage, il a peu de chance de se répandre. De nos jours, cette théorie s'affine encore tous les jours grâce aux études sur les causes des mutations et **l'écosystème**. Elle explique pourquoi certaines espèces ne se trouvent que dans des lieux « protégés », comme les îles, où elles ont été séparées depuis des millénaires de leurs congénères. Elle explique également la disparition d'espèces, comme le mammouth en Europe, suite à des modifications importantes du climat.

L'INVENTION DE L'IMPRIMERIE

En Europe, jusqu'au Moyen Âge, les livres étaient copiés un par un, à la main. Comme ce travail durait de longs mois, les livres étaient rares et coûtaient très cher. Ainsi, seuls quelques privilégiés, comme les rois ou les gens de l'Église, avaient les moyens d'en posséder.

Des livres en série

À partir du XIIIe siècle, la demande en livres est devenue de plus en plus importante. Partout en Europe, le nombre d'étudiants et de gens sachant lire était en hausse. Au XVe siècle, le besoin de rendre la production de livres plus rapide et moins onéreuse s'est fait encore plus fort : des inventeurs ont alors commencé à faire des recherches pour mettre au point un procédé permettant de reproduire des livres en série à moindre coût.

LA GALÉE

LES PREMIERS IMPRIMEURS

Avant l'invention de Gutenberg, dès le VIe siècle, les Chinois et les Japonais sculptaient à l'envers des pages d'écriture sur des tablettes de bois, d'ivoire ou d'argile. Il leur suffisait ensuite d'encrer ce support et d'y presser une feuille de papier. Mais cette technique prenait beaucoup de temps. En Europe, on l'utilisait surtout pour la gravure des images.

LE COMPOSTEUR

L'invention de Bi Sheng

Au XIe siècle, Bi Sheng, un inventeur chinois, a eu l'idée géniale d'utiliser des blocs mobiles. Au lieu de graver des pages entières de mots, il sculpta des idéogrammes, les caractères chinois, sur des blocs indépendants de terre cuite placés côte à côte pour former des phrases.

L'INVENTION DE GUTENBERG

Au XVᵉ siècle, en Europe, Johannes Gensfleisch, dit Gutenberg, ignorait encore tout de l'invention de Bi Sheng. Déterminé à trouver une nouvelle technique d'impression, ce bijoutier allemand s'inspira des poinçons des orfèvres pour graver les moules de ses caractères en série. Il s'inspira aussi des presses à raisins des viticulteurs pour imaginer sa presse à imprimer... Surtout, Gutenberg créa un alliage métallique à base de plomb, d'antimoine, d'étain et de cuivre pour fabriquer des caractères mobiles résistants à la pression et réutilisables.

Un texte bien aligné

Pour composer les lignes destinées à l'impression avec précision, Gutenberg décida de placer les caractères dans un composteur, une sorte de règle en bois. Les composteurs étaient ensuite disposés sur la galée, un plateau de bois d'une taille légèrement supérieure à celle d'une page de livre.

LES PREMIERS LIVRES IMPRIMÉS

En 1455, Gutenberg publie le premier livre imprimé, une Bible en latin. Les premiers livres imprimés en Occident sont appelés des incunables. Aujourd'hui, ils coûtent une véritable fortune !

LA CONQUÊTE SPATIALE

Les hommes ont commencé à aller dans l'espace ou à y lancer des engins à la fin des années 1950. Du premier vol habité aux missions très lointaines, voici quelques dates clés de cette épopée.

3 novembre 1957

La chienne Laïka est le premier être vivant envoyé dans l'espace à l'intérieur du satellite *Spoutnik 2.*

12 avril 1961

À bord du vaisseau spatial *Vostok 1,* le Russe Youri Gagarine fait le tour de la Terre en 108 minutes.
Il est le premier homme à aller dans l'espace.

16 juillet 1969

Les astronautes américains Neil Armstrong, Edwin Aldrin et Michael Collins décollent à bord de la fusée *Saturne V* lors de la mission Apollo 11. Direction : la Lune ! Le 20 juillet, Armstrong foule le sol lunaire et y plante le drapeau américain. Il en rapportera des cailloux et de la poussière du sol aussi fine que du talc...

16 juin 1963

La Russe Valentina Terechkova est la première femme emmenée dans l'espace grâce à *Vostok 6.*
Le voyage, qui dure 70 h 50 min, fait 48 fois le tour de la Terre.

LE VOYAGE SUR LA LUNE EN CHIFFRES

Nombre d'astronautes : 3

Durée du vol : 4 jours environ

Durée du séjour sur la Lune :
22 heures, dont 2 h 20 sur le sol

14 mai 1973

Mise en orbite autour de la Terre de la première station spatiale : baptisée *Skylab*, elle est américaine.
Des équipes de trois astronautes s'y relaient jusqu'en 1974, la dernière étant restée près de 84 jours : premier record !

12 avril 1981

Lancement de la navette américaine *Columbia* : c'est le premier vaisseau spatial conçu pour décoller comme une fusée, atterrir comme un avion et être réutilisable. Hélas, la navette s'est désintégrée lors de sa rentrée dans l'atmosphère en 2003.

19 février 1986

Mise en orbite autour de la Terre de la première station spatiale permanente : baptisée *Mir*, elle est russe. Elle détient le record du plus long vol spatial d'un être humain sans interruption : 437 jours et 18 heures ! Elle a été remplacée par la station spatiale internationale.

14 mai 2009

Lancement du satellite *Planck* conçu pour percer le mystère des origines de l'Univers. Il a enregistré la toute première lumière émise par l'Univers après le Big Bang.

ÇA ALORS !

Pour éviter que des oiseaux ne picorent la mousse qui protège les réservoirs des engins spatiaux, on utilise des chouettes en plastique pour les effrayer !

LA VIE DANS L'ESPACE

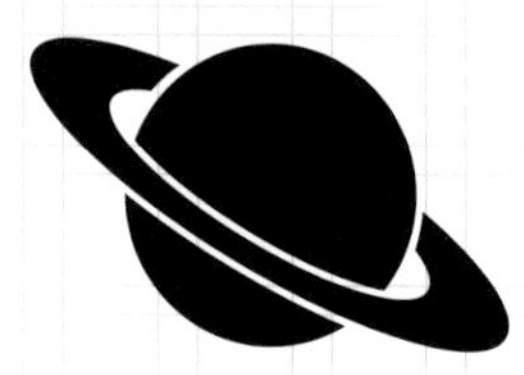

Vivre dans l'espace n'est pas de tout repos ! Pourtant, des programmes spatiaux prévoient d'y envoyer des Terriens dans les prochaines années !

NI SOL, NI PLAFOND !

Sur Terre, la pesanteur nous attire vers le sol sur lequel nous pouvons marcher et tomber. Mais dans l'espace, tout flotte, il n'y a ni bas ni haut, ni sol ni plafond : c'est l'effet d'impesanteur.

OÙ DORMENT LES ASTRONAUTES ?
Presque partout, dans des sacs de couchage fixés aux parois du vaisseau spatial !

COMMENT SE NOURRISSENT-ILS ?
En essayant d'attraper les fruits et les légumes en lévitation !
Mais en général, leur nourriture se présente plutôt dans des sachets en plastique.

TRAVAILLER DANS LE VIDE

Parfois, les astronautes assemblent eux-mêmes les éléments de leur station spatiale ou en réparent certains. Ils sont alors obligés de sortir dans le vide en prenant soin, auparavant, de bien s'attacher à leur engin. Dans l'espace, quand un astronaute doit resserrer un boulon dans un sens, il doit le faire lentement : s'il le fait trop vite, il se met lui-même à tourner dans le sens inverse !

LE SAVAIS-TU ? ?!

En impesanteur, l'eau ne coule pas, donc les douches et les lavabos sont inutiles. À ton avis, les astronautes peuvent-ils rester propres ?

A. Oui, ils emportent des lingettes nettoyantes.

B. Non, ils ne se lavent pas.

» SOLUTION p. 140

Sportifs de haut niveau

Une mission spatiale est une véritable aventure. Les astronautes s'entraînent alors intensément pour être en excellente forme physique. Et à bord d'un vaisseau spatial, ils doivent continuer à faire plusieurs heures de sport par jour. Sinon, ils perdent leurs muscles en impesanteur.

L'espace fait grandir

Lors d'un séjour prolongé dans l'espace, les astronautes grandissent de plusieurs centimètres, et une fois revenus sur Terre, ils reprennent leur taille normale, la pesanteur terrestre exerçant une pression sur leur squelette !

GRAND QUIZ DE L'ESPACE

1.

On voit parfois une partie de la Voie lactée, dans le ciel nocturne, sous la forme d'une bande claire. Une légende qui parle de lait (car « lactée » signifie « avec du lait ») y est associée : **selon toi, de quel pays provient-elle ?**

A. GRÈCE **B. ÉGYPTE** **C. SUÈDE**

2.

Sur cette image du Système solaire, peux-tu dire :

A. Où se trouve le Soleil ?

B. Comment se nomme la planète entre Saturne et Neptune ?

3.

Regarde attentivement ces deux constellations :

la 1re a la forme d'un ustensile de cuisine, la 2de celle d'un W.

CONNAIS-TU LEUR NOM ?

4.

D'après toi, quel est le nom donné aux nuages à partir desquels naissent les étoiles ?

A. Maternités

B. Pouponnières

C. Élevages

5.

Quand le Soleil entre en éruption, il envoie des particules invisibles vers la Terre. Capturées dans la haute atmosphère de notre planète, ces particules donnent lieu à un très beau phénomène. Lequel ?

A. Éclipse

B. Trou noir

C. Aurore polaire

6.

Après le Soleil et la Lune, **Vénus** est, dans notre ciel, la planète qui brille le plus car la couche épaisse de ses nuages a pour effet de réfléchir beaucoup la lumière. Elle est visible au petit matin ou vers le début de soirée. Son surnom lui vient de l'heure à laquelle on sort ou rentre les moutons.

À ton avis, quel est ce surnom ?

A. L'étoile du berger

B. L'astre des moutons

C. L'étoile Polaire

7.

AUTOUR DU SOLEIL

Il y a des saisons – printemps, été, automne, hiver – sur la Terre, car son axe de rotation est penché.

Ainsi, dans sa course autour du Soleil, notre planète incline vers lui tantôt son pôle Nord, tantôt son pôle Sud. Sachant que la Terre se partage en deux hémisphères – celui du nord et celui du sud –, peux-tu répondre à ces questions ?

A. **Lorsque la Terre incline vers le Soleil son pôle Nord, quelle est la saison dans l'hémisphère Nord ?**

B. **Lorsqu'elle incline son pôle Sud vers le Soleil, quelle est la saison dans l'hémisphère Nord ?**

8.

Il n'est pas facile d'observer directement les exoplanètes, car elles se trouvent à des distances très importantes ; en outre, elles ne produisent pas de lumière : elles ne font que refléter celle de leur étoile. C'est donc à partir de celle-ci que l'on peut déduire la présence de ces astres.

Selon toi, pourquoi ?

A. L'étoile tourne plus vite à cause de l'exoplanète.

B. L'étoile oscille.

C. L'étoile est moins lumineuse.

(Plusieurs réponses sont possibles.)

9.

PARFOIS, UN ASTÉROÏDE CROISE LA TERRE.

A. Sais-tu ce qui se passe lorsqu'il entre dans notre atmosphère ?

B. Et s'il se rapproche du Soleil, la glace qu'il contient fond, de la vapeur d'eau en sort, ce qui forme une magnifique queue : comment l'appelle-t-on alors ?

» SOLUTIONS p. 140

SOLUTIONS
DES JEUX ET QUIZ

PAGES 14-15 • 1. Le pou car il est toujours en tête ; **2. Un poumon** (pou-mon) ; **3. Le cheveu.** L'expression « se couper les cheveux en quatre » signifie qu'on se complique la vie avec des choses inutiles, et l'expression « se faire des cheveux blancs » veut dire qu'on se fait du souci ; **4. Les dents** ; **5. Le cerveau** (cerf-veau) ; **6. Le nez** ; **7. La main** ; **8. Orteils** (or-taie-yeux).

PAGES 20-21 • 1878 : Se laver les mains ; **3 000 ans avant Jésus-Christ :** La suture ; **1796 :** Le premier vaccin ; **1924 :** Le mouchoir en papier ; **1884 :** La poubelle ; **1891 :** Papier hygiénique en rouleau.

PAGE 23 • Réponse b. Alfred Nobel, riche industriel suédois, inventeur de la dynamite, a accumulé une immense fortune. À sa mort, en 1895, il demande par testament que ses millions soient consacrés à la création d'une fondation et d'un prix international récompensant les hommes et les femmes qui œuvrent pour le progrès de l'humanité.

PAGES 26-27 • PHILTRE D'AMOUR :
Dé – coupe – haie – 1 – S'cor – pion – an – rond – d'aile (Découper un scorpion en rondelles). Pis – lait – scie – mort – seau – 2 – queue – 2 – sous – riz (Piler six morceaux de queue de souris). Rat – pelle – a – pot – d'1 – serpe – an – pou – riz (Râper la peau d'un serpent pourri). Ver – C – 2 – louche – d'eau – dent – L'amarre – mite (Verser deux louches d'eau dans la marmite). Puits – chaud – fée – billes – 1 – L'E – toux (Puis chauffer bien le tout).

CHEVEUX FORTS ET BRILLANTS :
3 escargots – grille – haie (trois escargots grillés) 2 araignées – pis – lait (deux araignées pilées) 6 œufs – 2 – mouche (six œufs de mouche) M'haie – L'ange – haie (mélanger) A – vallée – 100 – pain – c – son – nez (avaler sans pincer son nez).

JOLIE PEAU ET MUSCLES DE SPORTIF :
F'rot – thé – son – cor – 2 – vase – chat – queue – nu – i – 2 – p'laine – lune (Frotter son corps de vase chaque nuit de pleine lune). Puits – cou – rire – t'houx – nu – paon – dent – hune – heure – eau – moins (Puis courir tout nu pendant une heure au moins).

PAGE 29 • Réponse b. Le caillou ne se dissout pas, il « pousse » les molécules d'eau pour se faire de la place. Comme sur les côtés, l'eau est retenue par les parois du verre, son niveau monte. C'est plus facile à voir avec un très gros caillou, car la quantité d'eau « poussée » a le même volume que le caillou.

PAGES 38-39 • 1. 6 m ; **2.** 17 ; **3.** 206 ; **4.** entre 16 et 50 km/h ; **5.** 70 ; **6.** 100 000 km (deux fois et demie le tour de la Terre !) ; **7.** 10 000 ; **8.** 1 cm ; **9.** 2 ; **10.** 3 km/h ; **11.** 20 ans ; **12.** 19 000 km ; **13.** 100 000 km. ; **14.** 10 000 000.

PAGES 42-43 • 1. C ; **2.** Les oiseaux et les chauves-souris (car ils peuvent se heurter à leurs pales en volant) ; **3.** Des moulins à vent ; **4.** A ; **5.** B (entre 10 et 100 m de haut, selon le modèle) ; **6.** B.

PAGES 46-47 • MANQUENT LE SEAU ET LA PELLE :
« Sous les pavés, la plage. » (S – houx – lait – pas – V – la – P' – la – jeu)

L'ÎLE DE LA GROTTE

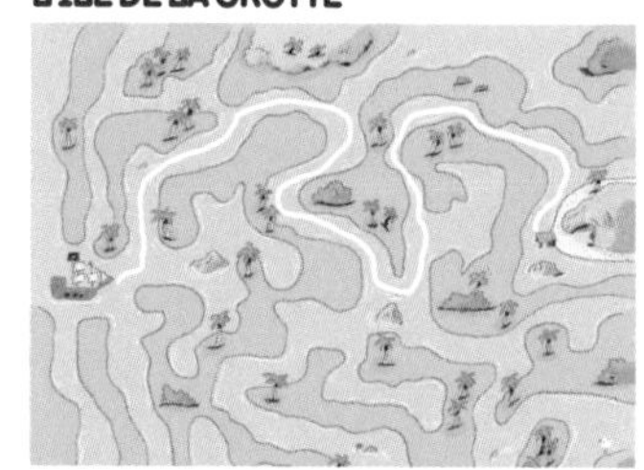

QU'EST-CE QUI CLOCHE ?

PAR TOUTATIS ! La bonne ombre est la 3.

RANGE TES COURONNES !

PAGES 50-51 • A-7 ; B-1 ; C-3, D-5 ; E-6 ;

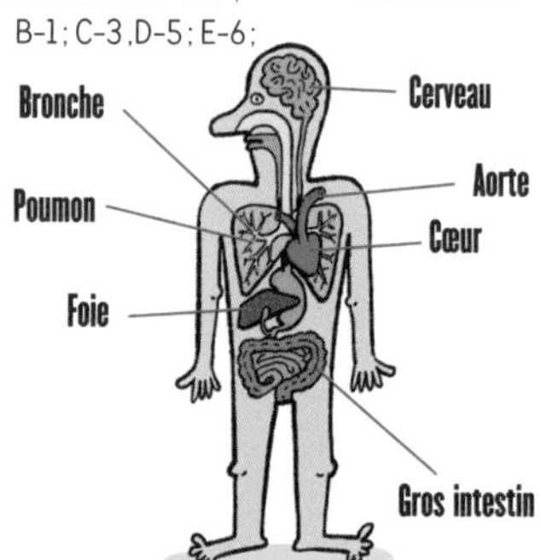

S	T	E	R	N	U	M	X	E	R	T	E
O	O	C	O	U	R	E	Y	E	D	S	B
U	V	O	T	B	J	T	I	K	P	M	R
R	E	P	U	C	S	A	J	M	P	N	O
C	R	T	L	H	X	C	G	N	E	A	N
I	T	F	E	E	Q	A	Y	Y	C	R	C
L	E	H	M	V	B	R	A	S	U	I	H
F	B	O	R	I	B	P	E	R	O	N	E
O	R	E	I	L	L	E	U	A	P	E	Q
I	E	A	D	L	C	U	B	I	T	U	S
E	S	Q	U	E	L	E	T	T	E	T	Z
H	E	M	I	S	P	H	E	R	E	A	W

F-2 ; G-4.

PAGES 60-61 • 1. Le fémur ; **2.** 19 000 km ; **3.** L'ouïe, l'odorat, le toucher, le goût et la vue ; **4.** 270, soit environ 9 mois ; **5.** La pomme d'Adam ; **6.** L'aorte ; **7.** Des tendons ; **8.** 32, en comptant les dents de sagesse ; **9.** Le dioxyde de carbone ; **10.** Le bras ; **11.** Faux, il se trouve au bout du gros intestin ; **12.** Le poumon.

PAGES 64-65 • 1. C (compte tenu des pays d'outre-mer) ; **2.** 18 h en été, 19 h en hiver ; **3.** B ; **4.** A ; **5.** B.

PAGES 66-67 • Vrai. Lorsqu'il fait très chaud et que les fumées de l'industrie et des voitures restent dans notre atmosphère, l'ozone ne peut pas s'élever en altitude. Il peut provoquer la gorge sèche, la toux et toutes sortes d'irritations. C'est pourquoi, lors des pics de pollution, on parle d'alerte à l'ozone.

PAGES 68-69 • Vrai. Les grandes pales de l'éolienne sont entraînées par le vent et actionnent une turbine, qui transforme l'énergie du mouvement en électricité. Comme le vent continue de souffler, que l'on s'en serve ou non, cette énergie fait partie des énergies renouvelables : elle ne « s'use pas » quand on s'en sert !

PAGES 72-73 •
LES JOIES DU CAMPING

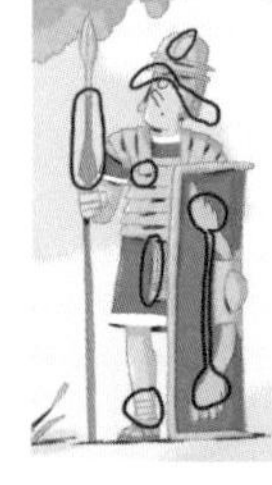

LES JUMEAUX LÉGIONNAIRES

QUASIMODO

NOTRE-DAME
DE PARIS

PAR ICI LA SORTIE !

PAGES 76-77 • Les perles coûtent 19 euros et la boîte, 1 euro. La différence est bien de 18 euros car 19 – 1 = 18. Et le total est bien de 20 euros car 19 + 1 = 20.

PAGES 84-85 • Anaïs, Quentin et Noé sont des triplés !

PAGES 94-95 • Ouïe = entendre, écouter, ouïr ; **Odorat** = sentir, renifler, flairer, humer ; **Goût** = goûter, savourer, déguster ; **Vue** = voir, regarder, contempler, observer, apercevoir, entrevoir ; **Toucher** = caresser, effleurer, masser, palper, frotter, tâter.

PAGES 96-97 • 1. Se laver les mains avec des gants pour ne pas salir le savon ; **2.** os court ! (Au secours !) ; **3.** Ne pas faire de vieux os ; **4.** Un filet de bave (hein-filet-deux-bave) ; **6.** A – joue – thé – U – nœud – fleur – d'or – ange – haie – pis – lait (Ajouter une fleur d'oranger pilée) A – U – nœud – cuiller – haie – 2 – miel (à une cuillerée de miel) Seau – poudre – haie – d'os – 2 – seiche – rat – P (Saupoudrer d'os de seiche râpé) Puits – sang – gare – gaz – riz – z'haie (puis s'en gargariser) ; **7.** J'ai mal au cœur ! (geai-mal-eau-cœur) ; **8.** Alors, tu es bien arrivé malgré la circulation ?

PAGES 100-101 • Cornichon (acide) - chips (salé) - figue (sucré) - choux (amer) - citron (acide) - groseilles (acide) - endive (amer) - bonbons (sucré) - saucisson (salé) - pamplemousse (acide) - miel (sucré) - caramel (sucré).

PAGES 108-109 • 1. Langue ; **2.** Les amygdales ; **3.** L'œil. Faire de l'œil, tourner de l'œil, jeter un œil, taper dans l'œil, ouvrir l'œil, fermer un œil ; **4.** L'estomac ; **5.** La bouche ; **6.** La pupille ; **7.** Le cheveu ; **8.** Les toilettes ; **9.** Le poil ; **10.** Le groupe sanguin ; **11.** L'oreille.

PAGES 114-115 • 1. 35 % ; **2.** La glabelle ; **3.** La gluotte ; **4.** Dans la main ; **5.** 2,5 cm ; **6.** 9 heures ; **7.** Le muscle fessier ! Le gluteus maximus nous aide à nous tenir debout ; **8.** 35 muscles ; **9.** Axis ; **10.** La lunule ; **11.** Pouce, index, majeur, annulaire et auriculaire ; **12.** 15 % ; **13.** 27 ; **14.** 37 °C ; **15.** Dans l'épaule ; **16.** Dans le pied ; **17.** Rouge et blanc.

PAGES 124-125 • 23 = 2 huitaines et 3 unités ; 2 x 8 = 16 et 16 + 3 = 19. Le nombre 23 en base 8 correspond à 19 en base 10.

PAGES 136-137 • A. Pour boire, c'est aussi plus compliqué car le liquide ne reste pas, comme sur la Terre, au fond du verre : dans l'espace, il s'en échappe. Les astronautes boivent donc avec une paille dans un gobelet fermé.

PAGES 138-139 • 1. A. Grèce. Dans la mythologie grecque, Zeus, souhaitant rendre Héraclès immortel, a mis celui-ci au sein de son épouse Héra qui est endormie. Mais celle-ci se réveille et repousse le bébé : de son sein gicle alors une traînée de lait qui se répand dans le ciel ; **2.** A. À gauche - B. Uranus ; **3.** Grande Casserole, Cassiopée ; **4.** B. Pouponnières ; **5.** C. On appelle ces aurores « polaires », car elles se produisent surtout aux pôles ; **6.** A ; **7.** A : l'été - B : l'hiver ; **8.** B et C : la planète exerce une gravité sur son étoile, ce qui a pour effet de lui faire subir des vibrations ; d'autre part, en passant devant son étoile, la planète provoque une mini-éclipse qui rend l'étoile moins lumineuse, comme sur la Terre ! Ce sont ces changements que les scientifiques étudient. **9.** A. Une étoile filante ; B. Une comète.

58, rue Jean Bleuzen - 92178 Vanves Cedex.

Dépôt légal : octobre 2017 - Édition 09.
Loi n° 49-956 du 16 juillet 1949 sur les publications destinées à la jeunesse.
Achevé d'imprimer en Espagne par Graficas Estella en avril 2021.

PAPIER À BASE DE FIBRES CERTIFIÉES

Deux Coqs d'Or s'engage pour l'environnement en réduisant l'empreinte carbone de ses livres. Celle de cet exemplaire est de :
1 400 g éq. CO_2
Rendez-vous sur www.deux-coqs-dor-durable.fr